Vivre avec un proche impulsif, intense, instable

guide d'espoir

Dépôt légal – Bibliothèque nationale du Québec, 2006
Bibliothèque nationale du Canada, 2006

ISBN 978-2-89579-118-8

Éditeur : Jean-François Bouchard
Directrice de la collection : Lucie Côté
Réviseur : Anne Bricaud
Couverture et mise en page : Mardigrafe
Photo des auteurs : © 2008, Claire Beaugrand-Champagne
Conseiller scientifique : Dr Pierre Doucet, psychiatre

Réimpression 2015

Nous reconnaissons l'aide financière du gouvernement du Canada par l'entremise du Programme d'aide au développement
de l'industrie de l'édition (Padié) pour nos activités d'édition.

Conseil des Arts du Canada — Canada Council for the Arts

Bayard Canada livres remercie le Conseil des Arts du Canada
du soutien accordé à son programme d'édition dans le cadre
du Programme de subventions globales aux éditeurs.

Cet ouvrage a été publié avec le soutien de la SODEC.
Gouvernement du Québec – Programme de crédit d'impôt
pour l'édition de livres – Gestion SODEC.

Bayard Canada Livres
4475, rue Frontenac, Montréal (Québec) H2H 2S2
Téléphone : 514 844-2111 – 1 866 844-2111
edition@bayardcanada.com
bayardlivres.ca

Imprimé au Canada

Remerciements

Nous tenons à remercier tous ceux qui, à un moment ou à un autre au cours de ce projet, ont cru en nous :

Nos patients et leurs familles ;

Les participants aux groupes d'entraide « T-limite » ;

Le Fonds Lilly Neuroscience pour le bien-être en santé mentale ;

Les psychiatres Christiane Bertelli, Florence Chanut, Daniel Dumont et Yvan Pelletier ;

France Bousquet, Gilda Carelli, Josane Duhamel, Diane Latendresse, Marise Lemieux et Lucie Poitras ;

Lucie Côté, Jean-François Bouchard et toute l'équipe de chez Bayard Canada.

Sincères remerciements aussi à ceux qui ont pris le temps de partager avec nous leurs histoires de vie avec leur proche impulsif, intense et instable, histoires sur lesquelles sont basés les témoignages de ce livre.

Nous voudrions également exprimer notre gratitude aux lecteurs du manuscrit, qui nous ont éclairées par leurs commentaires fort pertinents.

Et finalement, merci à nos conjoints, à nos parents et à nos enfants, Sandrine, Aurélie et Guillaume pour leur soutien de tous les instants.

Le genre masculin est utilisé comme générique, dans le but d'éviter d'alourdir le texte.

Table des matières

PREMIÈRE PARTIE
DES MOTS POUR COMPRENDRE

chapitre 1. La personnalité difficile

chapitre 2. Les causes

chapitre 3. Les problèmes associés à la personnalité difficile

chapitre 4. Les répercussions sur l'entourage

DEUXIÈME PARTIE

DES STRATÉGIES POUR SURVIVRE

chapitre 5. Apprendre à faire respecter ses limites

chapitre 6. Aider votre proche à gérer ses émotions

chapitre 7. Les difficiles questions du suicide et de l'automutilation

chapitre 8. La spécificité du lien

ANNEXES

introduction

Ce livre a été écrit pour tous ceux qui vivent avec un proche dont la personnalité est explosive. Un proche qui se détruit et détruit les autres sur son passage. Un proche qui vit intensément et dramatiquement les événements du quotidien, les changements, les pertes, les bonheurs et les malheurs. Un proche pour qui la vie ressemble à un tour de montagnes russes avec ses hauts et ses bas, ses tournants imprévisibles et ses émotions fortes. Un proche qui, un jour, aime et l'autre, déteste.

Ce livre a été écrit pour ceux qui ne dorment pas la nuit parce qu'ils ne savent pas dans quel pétrin leur fille s'est encore mise. Pour ceux qui parfois ont peur que leur fils s'en prenne à eux dans une crise de colère. Pour ceux qui n'osent pas quitter leur conjoint, craignant les gestes qu'il pourrait alors poser. Pour ceux qui, hier encore, ont reçu en pleine nuit un appel de détresse de leur sœur.

Ce livre a été écrit pour ceux qui se sentent démunis, coupables, dépassés. Pour ceux qui se sentent pris en otage dans une relation malsaine, pour ceux qui assistent impuissants à l'autodestruction de ceux qu'ils aiment et pour ceux qui veulent aider mais ne savent plus comment.

Il a été écrit pour les mères, les pères, les frères, les sœurs, les conjoints, les fils et les filles qui n'en peuvent plus de vivre avec…

Ce livre offre **des mots pour comprendre.** Des mots qui expliquent ce qu'est la personnalité et pourquoi certains traits de caractère causent tant de dégâts dans les relations interpersonnelles. Des mots qui expriment ce que vivre au quotidien avec un proche impulsif, intense et instable signifie. Des mots qui permettent de nommer l'impuissance et la souffrance.

Ce livre est un ouvrage pratique qui suggère **des stratégies pour survivre** à une relation destructrice. Il aide le lecteur à apprendre à faire respecter ses limites, à reprendre le contrôle de sa vie et à mieux gérer les émotions intenses de son proche. Il présente des attitudes à privilégier pour tenter de désamorcer les crises et des pistes d'intervention quand elles sont inévitables. Ce livre propose aussi des outils d'action concrets et facilement utilisables. Des outils déjà utilisés par plusieurs familles, qui les ont expérimentés et en ont constaté l'impact positif sur leur qualité de vie. Ce livre explique aussi où et comment les individus possédant des traits de personnalité difficile ainsi que les membres de leur famille peuvent recevoir de l'aide.

Ce livre est écrit à deux mains, celle d'une infirmière et celle d'une travailleuse sociale, qui chaque jour de leur vie professionnelle côtoient des êtres impulsifs, intenses et instables. Deux professionnelles expérimentées qui se sont donné comme mission d'informer les familles, de leur offrir du support et de leur donner espoir. Deux professionnelles convaincues que l'entourage est un puissant moteur de changement de la dynamique familiale et du cheminement vers la quête d'une meilleure qualité de vie. Deux professionnelles convaincues surtout que, malgré leurs difficultés, les individus dont la personnalité est difficile sont remplis de ressources, de qualités, d'énergie, d'amour et de courage.

Mais ce livre est avant tout écrit à plusieurs voix, celles des pères, des mères, des enfants, des conjoints et conjointes, des sœurs et des frères qui tout au long du livre témoignent de leur souffrance, de leur chagrin, de leur détresse et surtout, surtout de leur courageux cheminement, de leurs réussites et de leur nouvelle paix intérieure.

Ce livre est **un guide d'espoir**.

PREMIÈRE PARTIE
DES MOTS POUR COMPRENDRE

« On a besoin d'aide… »

Besoin d'aide pour comprendre, pour survivre, pour agir, pour arrêter de se sentir pris en otage, de se sentir jour après jour impuissant et incompétent.

Besoin d'aide pour partager déceptions, inquiétudes, peurs et malheurs.

Besoin d'aide pour dire comment parfois l'amour déraille et ne suffit plus à consoler, sécuriser et faire grandir.

« Chaque fois que je dis blanc, ma soeur dit noir. » **– Solange**

« Souvent, je sais que mon fils Sylvain s'en va directement dans un mur, mais j'ai beau le lui dire, il ne me croit pas tant qu'il n'a pas foncé dedans ! » **– Rachelle**

« Avec notre mère, on est toujours en train de marcher sur des œufs ou de mettre nos gants blancs jusqu'aux épaules… » **– Alain et Lise**

« Dès que Mélanie est présente aux réunions de famille, c'est immanquable, la fête tourne en chicane » **– François**

« Un jour, ma nièce est contente de me voir et le jour suivant, elle ne m'adresse pas la parole » **– Annie**

« Mon fils Sacha… ! C'est incroyable, tout ce qui peut lui arriver, mais ce n'est jamais de sa faute ! Pour lui, l'enfer, c'est les autres. »

– Gilles

« Catherine a une énergie phénoménale et des talents incroyables, mais on dirait qu'elle s'en sert seulement pour se mettre dans le trouble. Au lieu de construire, elle passe son temps à se détruire »

– son ami Vincent

« Reconnaître sa responsabilité lorsque quelque chose de négatif arrive n'est pas son fort. C'est toujours la faute des autres, au travail comme dans ses relations amoureuses. Les mots "Je m'excuse" ne font pas partie de son vocabulaire. » **– Henriette**

chapitre 1

La personnalité difficile

La personnalité

Le mot *personnalité* fait partie du langage courant et sa définition semble bien simple. Pourtant, il cache une réalité complexe, aux multiples facettes. En effet, chaque individu a une personnalité originale et unique qui le différencie des autres. Notre personnalité est constituée de plusieurs traits de personnalité. C'est ce que l'on appelle aussi les défauts et les qualités. Par exemple, la générosité, la spontanéité, le courage, l'impatience et la méfiance sont des caractéristiques qui peuvent servir à nous décrire. Dans la langue française, il existe des centaines de mots servant à nommer autant de traits de personnalité. Il existe donc d'infinies possibilités de combinaisons. C'est ce qui explique que tous les êtres humains soient différents. Évidemment, chaque personne possède seulement quelques traits qui sont marquants, traits qui sont stables dans le temps. Ils se manifestent dans notre comportement, notre façon de penser et d'interagir avec les autres, ainsi que dans les moyens qu'on utilise pour s'adapter aux différentes situations rencontrées. C'est cette continuité qui fait en sorte que les autres nous reconnaissent pour ce que nous sommes, tout au long de notre vie.

Les traits de personnalité, c'est ce que l'on appelle aussi les défauts et les qualités. Certains traits nuisent aux relations interpersonnelles.

La plupart des parents savent que dès la naissance, déjà même dans le ventre de leur mère, les bébés sont différents les uns des autres. Certains sont plus souriants, d'autres pleurent plus souvent ou craignent davantage les étrangers. Ceci est dû au fait qu'une partie de la personnalité est innée, c'est-à-dire qu'elle fait partie de nous, dès la naissance. Cet ensemble de caractéristiques, que l'on appelle habituellement le tempérament, fait référence aux aspects biologiques de la personnalité. C'est pourquoi on l'appelle aussi « lit biologique » de la personnalité.

Les traits de personnalité sont aussi partiellement hérités de nos parents, qui eux-mêmes en ont hérité de leurs propres parents. Nous connaissons tous des familles où plusieurs membres partagent un trait commun : ils sont téméraires, curieux ou timides. Un peu comme les caractéristiques physiques, comme la forme du nez ou du visage, ou comme la taille, certains traits de personnalité se transmettent génétiquement, d'une génération à l'autre. C'est ce qu'ont démontré des études sur des jumeaux qui n'étaient pas élevés ensemble et qui, pourtant, avaient des traits de personnalité similaires.

Mais, si on naît avec un bagage héréditaire, la personnalité est aussi acquise, c'est-à-dire que l'enfant, au cours de sa croissance, va développer son caractère selon les événements. L'environnement dans lequel il grandit, ses expériences de vie et les modèles auxquels il est exposé, comme, par exemple, la personnalité de ses parents, sont autant de facteurs extérieurs qui influencent le développement de sa personnalité. C'est ici qu'entrent en jeu le genre d'éducation reçue, la qualité de la relation avec les parents, le milieu de vie socio-économique, l'influence des amis et plusieurs autres facteurs.

La culture dans laquelle on grandit influence aussi considérablement notre personnalité. Les traits et les attitudes valorisés ne sont pas les mêmes d'une société à l'autre. Par exemple, dans certains pays, le fait de baisser les yeux face à une personne inconnue est signe de respect, tandis qu'ailleurs, c'est un signe de malhonnêteté et d'hypocrisie. Certaines cultures valorisent l'autonomie des jeunes adultes tandis que dans d'autres, quitter sa famille sans être marié équivaut à manquer de respect à ses aînés. De la même façon, les croyances religieuses de notre famille ont un impact sur la construction de nos valeurs et, donc, sur notre personnalité.

L'impulsivité, l'intensité et l'instabilité : des dimensions problématiques de la personnalité

Certains traits de personnalité peuvent donc être plus problématiques que d'autres, nuisant à la qualité des relations interpersonnelles. Souvent, mais pas toujours, ces traits se manifestent dès le tout jeune âge. C'est le cas de Bruno, jeune homme maintenant âgé de 31 ans.

BRUNO

« Depuis que Bruno est tout petit, il vit les choses différemment de mes autres garçons. Déjà bébé, tout était plus dramatique : il pleurait plus fort, il se fâchait plus longtemps pour n'importe quoi. On aurait dit qu'avec lui, il n'y avait jamais rien de simple. Il avait toujours l'impression de vivre des injustices. Des fois, c'était vrai… mais d'autres fois, on aurait dit qu'il cherchait la chicane, avec nous, avec ses frères, avec ses professeurs. Mais à l'école, il avait des bonnes notes. Il comprenait vite… une chance parce qu'avec toutes les émotions qu'il vivait, sa vie ressemblait déjà à un vrai tour de montagnes russes ! Quand il était content, il était vraiment content, mais on savait que ça ne durerait pas et qu'il allait se passer quelque chose qui le mettrait dans tous ses états. Une fois, un prof m'a dit qu'il était comme une éponge. On aurait dit qu'il était hypersensible à tout ce qui se passait autour de lui. Avec lui, on en a vu de toutes les couleurs parce qu'il était intense dans tout ce qu'il faisait. Aujourd'hui, malgré tout ce qui s'est passé dans sa vie depuis, je reconnais encore mon petit Bruno… »

Béatrice, sa mère

Depuis longtemps, Béatrice a compris que son fils avait une personnalité difficile. Comme Bruno, un certain nombre de personnes ont des traits de personnalité problématiques qui rendent leurs relations avec les autres compliquées. Plusieurs traits de caractère peuvent générer ce type de conflits, comme la méfiance, l'anxiété ou la dépendance excessive. Bruno, quant à lui, est décrit comme étant impulsif, intense et instable. En fait, ce que Béatrice nous explique dans ses mots de mère, c'est que son fils a du mal à gérer ses émotions. On dit aussi qu'il a de la difficulté à régulariser ses émotions. Régulariser, c'est ce que fait un thermostat : il envoie un message au chauffage pour qu'il s'arrête ou démarre, afin d'éviter de trop grandes variations de température dans la pièce. Mais qu'est-ce que cela signifie, sur le plan psychologique ?

Exploser de colère, se fâcher pour des détails, faire des drames constamment sont des comportements qui traduisent des difficultés à gérer ses émotions. Si ces comportements sont répétitifs, ils peuvent indiquer la présence de traits de personnalité problématiques.

Nous avons tous, à l'intérieur de nous, des mécanismes qui nous permettent de régulariser nos émotions. Ces processus et ces stratégies permettent de ne pas passer constamment de l'état de surexcitation à l'état de tristesse, d'un extrême à l'autre. Notre capacité de réfléchir, de penser et de nuancer nous permet de contrôler notre monde émotionnel et de ne pas nous laisser envahir et complètement dominer par nos émotions. C'est ce à quoi on fait référence lorsqu'on dit « Je me parle » ou « Je me raisonne »

Prenons l'exemple de Sophie, jeune femme de 25 ans qui attend l'autobus au coin d'une rue en compagnie de quatre ou cinq autres personnes. Certains lisent, d'autres admirent le paysage. L'autobus arrive, mais passe tout droit. Pour la majorité des gens, voilà un événement fort désagréable qui peut causer tracas et retards.

Certains peuvent s'exclamer brièvement, d'autres lever les bras au ciel, mais après quelques minutes, tous ont retrouvé leur calme. Tous, sauf Sophie ! Elle est maintenant envahie par un fort sentiment de colère envers le chauffeur d'autobus qui, selon son interprétation personnelle, l'a volontairement abandonnée au coin de la rue. Sophie est à la fois choquée, triste et déçue. Elle est envahie d'émotions intenses qui ne s'atténuent pas en quelques minutes comme pour les autres personnes qui attendent. Même quand l'autobus suivant arrive, elle a de la difficulté à reprendre son contrôle. Trois heures plus tard, maintenant rendue au travail, Sophie est encore toute bouleversée et réfléchit à la possibilité de porter plainte auprès de la société de transport.

Sophie et Bruno ont de la difficulté à régulariser leurs émotions. Le « thermostat » de leurs émotions fonctionne mal et ne permet pas un bon contrôle. C'est ce qui explique l'intensité de leurs émotions et que les membres de leur entourage les décrivent comme des êtres hypersensibles, dramatiques ou à fleur de peau.

Variations des émotions chez une personne intense

Variations des émotions chez une personne qui les régularise mieux

Les individus intenses peuvent donc être extrêmes dans leurs comportements et leurs émotions. Ils peuvent se lancer à 100 %, avec passion, dans un nouveau travail ou dans une nouvelle relation amoureuse. Ils ne font pas de compromis… C'est souvent tout ou rien. Cette intensité fait d'eux des êtres stimulants, énergiques et dynamiques. Par contre, elle rend leurs relations avec les autres difficiles, leurs énergies et leurs forces étant mal canalisées.

Être impulsif, c'est agir instinctivement, avant de réfléchir et sans penser aux conséquences des gestes posés.

L'impulsivité et l'intensité associées constituent souvent un mélange explosif, d'autant qu'il est difficile de prévoir quand le débordement va survenir. La réaction de Sophie dans l'incident de l'autobus s'est produite subitement, sans que ce soit prévisible. Même si le conjoint de Sophie sait bien qu'elle est impulsive, il ne sait jamais quand, ou qu'est-ce qui la fera réagir. Être impulsif, c'est agir instinctivement, avant de réfléchir et sans penser aux conséquences des gestes posés. C'est répliquer instantanément, sous le coup de l'émotion. C'est réagir à une situation, sans prendre le temps de vérifier si on a bien compris. Comme l'explique Béatrice, en parlant de son fils Bruno : « *C'est comme si j'appuyais sur un détonateur.* » L'impulsivité est une forme de pulsion intérieure que les individus ont l'impression de ne pas pouvoir contrôler. Cette pulsion naît souvent d'un événement, qui pousse la personne à interpréter la réalité et déclenche une montée d'émotions.

Paradoxalement, certaines personnes sont stables dans leur instabilité ! Dans le jargon professionnel, on dit qu'elles sont « chroniquement instables ». C'est-à-dire que dans une ou plusieurs sphères de leur vie et depuis de nombreuses années, elles sont inconstantes et n'arrivent pas à maintenir une continuité, que ce soit, par exemple, au travail ou dans leurs relations amoureuses. À l'image des montagnes russes, avec leur alternance de hauts et de bas, l'humeur aussi peut être changeante. Elle peut passer rapidement de la gaieté et l'enthousiasme à la colère et la tristesse en quelques jours, quelques heures, parfois même quelques minutes. Tout est dans la façon dont la réalité est perçue.

Une question de perception

Les émotions sont déclenchées par nos pensées, par la façon dont on interprète la réalité, par l'analyse personnelle que l'on fait de la situation et non pas par l'événement lui-même. Ainsi, lors d'un même événement, un accident de voiture, par exemple, ceux qui croient qu'ils viennent de frôler la mort peuvent ressentir de la peur, alors que ceux qui interprètent l'incident comme une attaque de la part de l'autre chauffeur ou comme une injustice peuvent ressentir une colère intense. C'est un peu comme si chaque individu portait des « lunettes » : chacun perçoit la réalité à travers les siennes. Nous avons tous eu l'occasion au moins une fois d'observer le fait suivant : après un souper d'anniversaire, certains avaient l'impression que l'ambiance avait été détendue tandis que d'autres se souvenaient plutôt que plusieurs sujets de controverse avaient causé des dissensions au cours de la soirée. Deux voisins peuvent même avoir une perception différente du temps qu'il a fait au cours du week-end.

Les « lunettes » que portent ces individus qui ont une personnalité difficile déforment négativement la réalité. Elles agissent comme des filtres et les poussent à réinterpréter ce qui se passe dans leurs relations avec les autres. Ils ne décodent donc pas bien les intentions et les motivations de leurs interlocuteurs. C'est pourquoi on parle d'un problème de communication.

L'évolution de la personnalité

Évidemment, la personnalité se modifie au fil des ans selon les circonstances, les épreuves rencontrées, les rôles joués. Devenir père, par exemple, peut permettre de développer certains traits, comme la patience, qui ne l'auraient peut-être pas été autrement. Les êtres humains s'adaptent aux événements de la vie du mieux qu'ils peuvent et, normalement, acquièrent de la maturité en vieillissant. Les traits de personnalité plus difficiles, comme ceux qui ressortent chez Sophie et Bruno, peuvent aussi s'améliorer avec le temps, grâce aux apprentissages qu'ils font, à la maturation de la personnalité et, parfois, à l'aide de professionnels de la santé. Dans d'autres cas, il peut arriver qu'un individu fonctionne bien pendant de nombreuses années, malgré des traits de personnalité difficile, puis qu'il vive un stress majeur, comme une rupture amoureuse, qui le déstabilise alors énormément et affecte son fonctionnement.

Les êtres humains évoluent en grandissant et apprennent normalement à s'adapter aux événements de la vie, mais parfois ce processus de maturation se fait plus difficilement.

En fait, plus l'individu a une personnalité souple, plus il est capable de s'adapter aux événements de la vie. À l'inverse, une personne rigide aura de la difficulté à s'adapter aux changements, aux stress qu'elle subit, mais aussi aux étapes incontournables de la vie que sont, par exemple, le début de l'âge adulte ou le départ à la retraite. Être rigide signifie avoir de la difficulté à changer son point de vue ou à adapter ses projets aux exigences de la réalité, ou encore réagir exagérément lorsque l'horaire ou les plans prévus doivent être modifiés.

Des traits aux troubles de personnalité

L'impulsivité, l'intensité et l'instabilité sont des traits de personnalité complexes et peuvent devenir problématiques. Ils influencent beaucoup la nature des relations interpersonnelles que les individus entretiennent avec leur entourage. Plusieurs individus qui ont une personnalité difficile fonctionnent normalement, c'est-à-dire qu'ils travaillent ou étudient et ont des amis et une famille. Cependant, ces traits de personnalité sont parfois si marqués que les individus ne peuvent plus fonctionner normalement. Souvent, leurs relations avec les figures d'autorité telles que les professeurs ou les employeurs sont difficiles, car ils acceptent mal de respecter les règlements, de se faire reprendre ou de coopérer avec leurs collègues. Leur impulsivité, leur intensité et leur instabilité émotionnelle peuvent les entraîner dans de nombreuses péripéties. Ce qui ne veut pas dire qu'ils ne sont pas intelligents, talentueux et sympathiques, tout au contraire. Ils n'ont pas non plus de maladie mentale grave, même si parfois leurs comportements sont si extrêmes qu'on pourrait croire que leur jugement et leur intelligence sont perturbés. En fait, il y a différents niveaux de perturbation de la personnalité qui vont de l'individu dont quelques traits de personnalité sont problématiques jusqu'à la personne dont la personnalité est extrêmement difficile. Lorsque l'individu a des traits de personnalité qui le font souffrir depuis longtemps, lorsqu'il fait souffrir son entourage, qu'il a beaucoup de mal à s'adapter aux changements ou aux transitions et qu'il a de la difficulté à fonctionner dans sa vie quotidienne, les spécialistes parlent alors de « trouble de personnalité ». Différents troubles de

Le bon côté de la médaille…

Les traits de personnalité tels que l'impulsivité et l'intensité se retrouvent souvent chez des femmes et des hommes qui sont attirants, spontanés, particulièrement doués pour les arts, créatifs et généreux. Ils ont de la facilité à aller vers les autres et se créent rapidement des contacts dans un nouvel environnement. Ils ont beaucoup d'énergie et font souvent preuve d'une grande détermination.

personnalité sont connus des spécialistes, mais l'impulsivité, l'intensité et l'instabilité sont surtout des caractéristiques de ce que l'on nomme « la personnalité limite » ou « *borderline* ». Ce sont plus particulièrement ces traits, même s'il en existe d'autres qui sont aussi problématiques, qui épuisent l'entourage et qui nuisent aux relations interpersonnelles. C'est ce dont nous traitons dans les pages de ce livre.

Votre proche a-t-il un trouble de personnalité limite ou des traits de personnalité limite ?

Le questionnaire suivant vous est présenté à titre indicatif, pour vous aider à identifier les traits de personnalité problématiques de votre proche. En aucun temps, il ne peut servir à poser un diagnostic. C'est un travail réservé aux médecins.

Habituellement, votre proche…	**Oui**	**Non**	**Je ne suis pas certain**
Est-il instable dans ses relations interpersonnelles, changeant souvent d'amis ou de conjoint ?	☐	☐	☐
Est-il impulsif dans ses réactions, agissant sans penser aux conséquences ?	☐	☐	☐
Est-il déjà devenu très perturbé ou agité lorsqu'il pensait qu'une personne chère allait le quitter ?	☐	☐	☐
Change-t-il souvent radicalement d'opinion sur la valeur des gens ?	☐	☐	☐
A-t-il des relations avec les autres caractérisées par des hauts et des bas ?	☐	☐	☐
Effectue-t-il souvent des changements dans ses projets de vie, de carrière, d'études ?	☐	☐	☐
Change-t-il souvent d'opinion sur lui-même ?	☐	☐	☐
Se comporte-t-il différemment selon la personne avec laquelle il se trouve ?	☐	☐	☐
Change-t-il de comportement selon la situation dans laquelle il se trouve ?	☐	☐	☐
Agit-il de façon impulsive au niveau de ses dépenses, de sa sexualité, de son alimentation, de sa conduite automobile ou de sa consommation (de drogues, d'alcool, de médicaments) ?	☐	☐	☐
S'est-il déjà blessé volontairement, par exemple en se griffant, se coupant ou se brûlant ?	☐	☐	☐

	Oui	Non	Je ne suis pas certain
A-t-il déjà menacé de se tuer ou de se faire du mal?	☐	☐	☐
A-t-il déjà posé des gestes dans le but de se tuer?	☐	☐	☐
Change-t-il souvent soudainement d'humeur, passant de l'euphorie à la détresse en quelques heures ou quelques jours?	☐	☐	☐
A-t-il déjà dit qu'il se sentait vide à l'intérieur de lui?	☐	☐	☐
Est-il souvent très en colère pour des raisons qui vous semblent inappropriées?	☐	☐	☐
Fait-il des crises de rage?	☐	☐	☐
Lui arrive-t-il de manifester fréquemment sa mauvaise humeur, d'avoir de la difficulté à contrôler sa colère, de se bagarrer ou de briser des objets?	☐	☐	☐
Peut-il devenir méfiant par rapport aux autres lorsqu'il est stressé?	☐	☐	☐
En période de stress, devient-il parfois bizarre ou s'isole-t-il?	☐	☐	☐

Additionnez le nombre de *oui*. Plus ils sont nombreux, plus votre proche possède des traits caractéristiques du trouble de personnalité limite.

Basé sur les critères diagnostiques du livre de référence des maladies psychiatriques, le DSM IV-TR.

chapitre 2

Les causes

« Quand je lis les mots "impulsif", "intense" et "instable", j'ai l'impression qu'ils ont été inventés pour ma fille Mégane, qui a maintenant 25 ans. Ils décrivent tellement bien sa réalité, l'enfer qu'elle vit et que nous vivons aussi avec elle. Je me demande toujours ce que j'ai bien pu faire de mal pour qu'elle soit comme cela. J'ai pourtant l'impression de l'avoir élevée comme sa sœur ! Pourquoi est-elle différente des autres ? Pourquoi est-ce si difficile avec elle ? »

Marie, sa mère

MÉGANE

Que répondre à Marie ? Pourquoi Mégane est-elle comme ça ? Chercher à expliquer un problème est un processus sain qui aide à avoir un meilleur contrôle sur un événement qui nous attriste ou nous dépasse. Lorsqu'on vit avec un proche dont la personnalité est difficile, la recherche des causes peut en effet nous aider à mieux nous adapter à la situation.

Malheureusement, il est bien rare qu'il n'y ait qu'une seule explication à un phénomène aussi complexe que les comportements problématiques des êtres humains. Plusieurs raisons, ou facteurs, peuvent expliquer pourquoi certaines personnes ont une personnalité difficile. Même si les philosophes, les médecins et les psychologues s'intéressent depuis le début du siècle dernier à la question de la personnalité, nous en sommes, encore aujourd'hui, au tout début de la compréhension de ce phénomène. La définition même de ce qu'est la personnalité peut être différente selon les points de vue et les écoles de pensée. Nous pouvons toutefois espérer que nous en saurons un peu plus d'ici quelques années, grâce aux percées scientifiques de la médecine et de la psychologie qui nous permettront de comprendre davantage comment fonctionne le cerveau humain et, par le fait même, comment se construit la personnalité.

Il n'y a pas une seule mais plusieurs raisons pour lesquelles un individu éprouve des difficultés dans ses relations avec les autres.

Ce que nous savons aujourd'hui provient de différentes sources. D'abord, des témoignages d'individus ayant une personnalité difficile qui ont raconté leur enfance, leur vie et l'histoire de leur développement personnel. Ces témoignages sont parfois accompagnés d'enquêtes effectuées auprès des membres de leur famille, enquêtes qui permettent de vérifier les informations rapportées. Il est bien connu que, lorsqu'on raconte notre passé, on rapporte notre perception de la réalité, et non la façon dont les choses se sont réellement passées. Il est donc fort instructif d'interroger les membres d'une même famille pour confirmer – ou infirmer – les récits. Une autre précieuse source d'informations provient de la multitude de recherches scientifiques effectuées sur les individus ayant des troubles de personnalité. Ces recherches ont permis de mettre en relief des facteurs communs dans la vie des individus possédant des traits de personnalité problématiques.

Ce qui fait actuellement l'unanimité, dans la littérature scientifique, c'est l'idée que les individus qui, comme Mégane, ont une personnalité difficile ont probablement été exposés à plusieurs facteurs de risque. Ces circonstances ont alors entravé le développement sain de leur personnalité. Ces facteurs peuvent être divisés en trois grandes catégories : la vulnérabilité biologique, les expériences traumatisantes et les aspects sociologiques.

La vulnérabilité biologique

Comme nous l'avons vu dans le premier chapitre, une partie de notre personnalité est innée, c'est-à-dire que nous venons au monde avec un bagage de traits de personnalité marqués. Certains individus auraient alors, dès la naissance, une constitution qui les prédispose à développer des traits de personnalité problématiques. On ne sait pas exactement comment, ni pourquoi, se produit ce phénomène. Les chercheurs pensent que certains neurotransmetteurs impliqués dans la gestion des émotions, comme la colère, feraient mal leur travail et que les mécanismes du système nerveux qui permettent la régulation des émotions ne fonctionneraient pas normalement. Certains individus auraient donc une prédisposition à développer un tempérament difficile et ce serait dans ce « terrain fertile » que les événements traumatisants ou vécus comme tels dans l'enfance deviendraient la petite graine nécessaire à l'éclosion d'une personnalité impulsive, intense et instable.

Les expériences traumatisantes

Les intervenants à l'écoute de ceux de leurs clients qui ont une personnalité difficile, plus particulièrement ceux pour qui la situation est suffisamment grave pour parler d'un trouble de personnalité, savent que plusieurs ont vécu des événements traumatisants dans leur enfance. Cette donnée est aussi démontrée par des recherches scientifiques. Par contre, il est important de retenir que ce n'est pas toujours le cas. Plusieurs n'ont pas été victimes de traumatisme majeur qui puisse expliquer leur personnalité difficile.

Il n'en reste pas moins que les enfants qui ont subi des abus sexuels ou physiques, qui ont été victimes de négligence grave ou qui ont été exposés à la violence sont plus à risque de développer des traits de personnalité qui vont engendrer des problèmes dans leurs relations avec les autres. Le sentiment d'insécurité que ressentent ces enfants a des effets dévastateurs sur le développement de leur personnalité. Certains n'ont pas eu l'occasion de développer une relation saine d'attachement avec leurs parents, une relation où ils auraient appris à faire confiance aux autres. Ils n'ont pas non plus appris à faire confiance aux sentiments qu'ils ressentaient, plus particulièrement chez ceux qui ont été victimes d'abus sexuels. Généralement, dans les cas d'abus sexuels, l'adulte fait croire à l'enfant que l'acte sexuel est permis, mais que c'est un secret qu'il ne doit dire à personne. L'enfant ressent alors un sentiment de malaise face aux gestes sexuels, mais il s'interdit d'aller parler de ce sentiment aux personnes qui lui sont importantes. C'est une situation dramatique pour l'enfant, qui se retrouve déchiré entre ce qu'il ressent et ce qu'on lui dit de faire.

Le développement de la personnalité peut être entravé par des traumatismes vécus dans l'enfance.

Cependant, ceux qui vivent des expériences traumatisantes n'éprouveront pas tous des difficultés à l'âge adulte. Plusieurs deviennent des adultes matures et épanouis, malgré les blessures et les cicatrices.

D'après les chercheurs qui se sont intéressés à la problématique des personnalités difficiles, les abus psychologiques qui se manifestent par des critiques constantes, des menaces perpétuelles de punition et une attitude de grande surprotection peuvent aussi engendrer chez les enfants des difficultés dans leurs relations avec les autres une fois devenus adultes. C'est un peu comme s'ils n'avaient pu développer les capacités qui leur auraient permis de devenir des adultes confiants, autonomes et matures.

Grandir dans une famille où l'un des parents, voire les deux, est lui-même impulsif, colérique et émotionnellement instable augmente nettement le risque que les enfants développent ces mêmes traits problématiques. Il est difficile pour des parents dont les émotions sont en « montagnes russes » d'apprendre à leurs enfants à gérer les leurs. De la même façon, grandir dans une famille dont un ou plusieurs membres ont des problèmes de consommation abusive d'alcool ou de drogue contribue à augmenter le risque. Il existe un lien entre les difficultés à gérer ses émotions et l'abus de substance ou même le jeu pathologique. Dans les deux cas, la question du contrôle des impulsions est au cœur du problème.

Certains enfants n'apprendront pas à faire confiance aux émotions qu'ils ressentent et n'apprendront donc pas non plus à les contrôler, ni à développer des mécanismes pour tolérer les émotions négatives comme la colère, la tristesse ou la déception. De plus, le manque de confiance en eux-mêmes et en les autres va entraîner de graves difficultés relationnelles.

Les aspects sociologiques

Les professionnels de la santé des pays occidentaux constatent depuis quelques dizaines d'années une augmentation du nombre de personnes qui souffrent ou font souffrir les autres en raison de leur impulsivité, leur intensité et leur grande instabilité émotionnelle. Une partie de l'explication de cette augmentation vient probablement de l'intérêt croissant porté à ce type de problème. Par contre, les changements rapides survenus dans nos sociétés ont entraîné des modifications dans l'éducation des enfants qui ont inévitablement eu des répercussions sur le développement de leurs personnalités.

Le manque d'encadrement, le stress et la multitude de possibilités qu'offre notre société moderne sont autant de facteurs qui peuvent expliquer le nombre grandissant d'individus impulsifs et émotionnellement instables.

À notre époque, la notion d'autorité parentale n'est certainement pas celle que l'on connaissait jusqu'au milieu du siècle dernier. Autrefois, les parents, le plus souvent le père, incarnaient la stabilité et l'autorité. Si certains abus pouvaient alors être commis, il est toutefois indéniable que les limites à ne pas dépasser étaient claires et les conséquences encourues connues. En fait, toutes les figures d'autorité ont été remises en question et avec elles les normes de notre société. Ces changements sociaux ont eu pour conséquence de donner plus de liberté aux individus dans leurs choix de vie et dans les comportements à adopter. Pour certaines personnes, la multitude de possibilités qu'offre notre société moderne, tant sur le plan du choix de carrière ou de l'orientation sexuelle que sur celui des modèles familiaux, est malheureusement catastrophique. Faire les bons choix pour soi-même implique que l'on se connaisse bien, que l'on sache ce que l'on vaut et ce que l'on veut, ce qui n'est généralement pas la force des personnes qui ont une personnalité difficile.

En effet, les individus impulsifs, intenses et instables ont besoin d'être encadrés et bien entourés. Ils évoluent mieux dans un milieu où les règles à respecter sont claires, prévisibles et précises. Cet encadrement permet de mieux contrôler leurs débordements, ce que ne fait pas la société actuelle, bien au contraire. Plusieurs autres caractéristiques de notre société ont certainement contribué à l'augmentation du nombre de personnes souffrant d'une personnalité difficile. Le stress, le manque de temps, les familles éclatées en sont des exemples.

Des questions sans réponses

Nos connaissances sur le développement des personnalités difficiles restent restreintes et plusieurs questions demeurent. Par contre, on peut affirmer que c'est une combinaison de facteurs qui augmente le risque. Si un individu a une vulnérabilité neurobiologique, qu'il est exposé de façon répétitive à des événements traumatisants, qu'il n'a pu apprendre à réguler ses émotions et qu'il évolue dans une culture inconsistante, ses chances sont grandes de développer des problèmes relationnels, c'est-à-dire des problèmes dans ses relations avec les autres à l'âge adulte.

Par contre, il est périlleux de prédire qu'un enfant qui a des traits de personnalité problématiques deviendra un adulte souffrant de personnalité difficile. Plusieurs parents disent : « *Martin a toujours été difficile.* », « *Maryse a toujours voulu avoir plus que ce qu'on lui donnait.* », « *France ne respectait jamais les règlements.* »... Ces remarques donnent à penser que certaines personnes ont manifesté dès l'enfance des difficultés dans leurs relations interpersonnelles. Pour d'autres, en revanche, les problèmes surviendront plus tard, à l'adolescence ou au début de l'âge adulte. Il faut savoir toutefois que l'adolescence est une période d'instabilité pour la majorité des jeunes, période qui ne nous permet pas de prédire l'évolution de la personnalité. Certains adultes peuvent avoir vécu une adolescence tumultueuse sans pour autant développer une personnalité difficile. Il faut considérer la « crise d'adolescence » comme un processus sain du développement de la personnalité, même si certains traits de caractère peuvent alors être exacerbés.

On ne peut prédire qu'un enfant difficile aura des traits de personnalité problématiques une fois devenu grand. Toutefois, plusieurs adultes impulsifs, intenses et instables le sont depuis l'enfance.

Quoiqu'il en soit, il reste encore à faire de nombreuses recherches pour départager ce qui appartient à la génétique de ce qui appartient à l'environnement familial et social. Pour mieux comprendre pourquoi Mégane, Bruno, Sophie et tous les autres ont des traits de personnalité si problématiques, les spécialistes ont encore de grands défis à relever.

chapitre 3

Les problèmes associés à la personnalité difficile

On peut donc considérer notre personnalité comme une structure interne stable caractérisée par différents traits de personnalité, traits qui définissent notre caractère, notre façon de percevoir la réalité et nos interactions avec les autres. Lorsque les traits de personnalité sont problématiques, c'est donc la structure même qui est défaillante, un peu à l'image d'une maison dont les fondations seraient fissurées. Il existe un autre type de problème, celui-ci transitoire, que l'on appelle « maladie ». Pour reprendre l'image de la maison, le toit pourrait avoir été temporairement endommagé suite à la chute d'un arbre. Il existe donc, d'une part, des problèmes de structure de la personnalité qui, eux, sont profondément ancrés dans l'identité même des individus et, d'autre part, des problèmes transitoires appelés maladies. Bien entendu, certaines maladies, physiques ou mentales, peuvent être chroniques, c'est-à-dire qu'elles évoluent lentement et qu'elles durent si longtemps qu'elles peuvent alors faire penser que les fondations mêmes sont défaillantes. Pensons au diabète, par exemple, ou à la schizophrénie.

Mais ce qu'il est important de retenir est que les troubles de personnalité n'apparaissent généralement pas subitement chez quelqu'un qui a toujours eu des relations harmonieuses avec les autres. Si cela arrive, il faut consulter un médecin pour s'assurer que cela n'est pas provoqué par une maladie sous-jacente, physique ou mentale, qu'il faut traiter.

Le fait d'avoir des problèmes dans ses relations interpersonnelles en raison de traits de personnalité difficiles n'exclut pas la possibilité de souffrir d'un autre problème de santé mentale, comme la dépression majeure.

Ceci dit, il est possible qu'une maladie mentale vienne se greffer à des problèmes de personnalité. Divers problèmes peuvent donc coexister chez les individus qui ont une personnalité difficile, par exemple la dépression, la maladie affective bipolaire, les troubles anxieux, les psychoses ou la toxicomanie. Plus les problèmes associés sont nombreux, plus la situation se complique et plus il est difficile de distinguer quel comportement relève de quel problème. Le but de ce chapitre est d'informer sommairement sur ces grands problèmes. Il serait risqué et inutile de tenter d'établir soi-même le diagnostic d'un proche. En cas de doute, il faut consulter un médecin.

La dépression majeure

La plupart des gens vivent des périodes plus difficiles, des « déprimes », pendant lesquelles tristesse, découragement, manque d'énergie et fatigue les accablent. Ces périodes sont normales, momentanées et sont liées à des événements particuliers : surcharge de travail, décès d'une personne chère, déménagement, séparation, perte d'emploi, difficultés financières... Habituellement, les gens traversent cette période de déprime sans aide professionnelle, trouvent des moyens de s'adapter à la situation puis reprennent la maîtrise de leur vie sans que leur niveau de fonctionnement en soit trop affecté.

La dépression majeure est une maladie mentale. Les neurotransmetteurs du cerveau sont affectés, ce qui entraîne des changements biologiques qui, à leur tour, provoquent des symptômes dépressifs. Les personnes qui en souffrent ont besoin d'un traitement particulier pour retrouver leur équilibre mental. Pour que le diagnostic de dépression majeure soit posé, le DSM IV, qui est le manuel de référence des spécialistes en santé mentale, précise que cinq des neuf symptômes suivants doivent être présents, **presque tous les jours pendant au moins deux semaines** :

- Humeur triste pendant presque toute la journée
- Troubles du sommeil (trop ou pas assez)
- Troubles de l'appétit (avec perte ou gain de poids)
- Perte d'énergie, fatigue
- Perte de l'intérêt et absence de plaisir
- Ralentissement des mouvements ou, à l'inverse, agitation
- Ralentissement de la pensée, baisse de la concentration
- Sentiment de culpabilité
- Pensées de mort et/ou idées suicidaires

Les moyens qu'utilisent habituellement ces personnes pour s'adapter ne sont ni suffisants ni efficaces, et les symptômes évoluent en s'aggravant. Selon l'intensité (légère, modérée, sévère) de la dépression et les facteurs déclenchants, cela peut prendre plusieurs semaines, plusieurs mois, même jusqu'à deux années avant que ces personnes se rétablissent, retrouvent leur équilibre mental et leur fonctionnement optimal.

Il faut différencier l'humeur dépressive, qui est présente quelques heures ou quelques jours, des symptômes de la dépression majeure qui, eux, s'installent pour plusieurs semaines.

Les personnes qui présentent des traits de personnalité difficiles peuvent aussi souffrir d'une dépression majeure et ont autant besoin d'être traitées que les autres. Toutefois, la plupart du temps, elles ne sont pas réellement en dépression majeure, au sens scientifique du terme ; l'humeur dépressive est plutôt une façon de réagir à ce qui les contrarie dans leur vie. Leur humeur est presque toujours en lien avec le contexte dans lequel elles se trouvent : elles sont en réaction et leur humeur varie en fonction d'événements survenant dans leur quotidien. Le changement rapide de l'humeur est le critère qui différencie les problèmes associés aux personnalités difficiles des dépressions majeures. Il est rare que les individus qui ont une personnalité difficile soient d'humeur dépressive pendant deux semaines ou plus.

La maladie affective bipolaire

Encore une fois, il est primordial de distinguer les variations normales de l'humeur, qui sont en général associées à un événement comme le gain d'une somme d'argent, un nouvel amour, la perte d'une personne chère ou un divorce, des variations plus importantes, voire démesurées, que présentent les personnes atteintes de la maladie affective bipolaire.

La maladie affective bipolaire est mieux connue sous son ancienne appellation, la *maniaco-dépression*. Les gens atteints de cette maladie mentale chronique vivent des périodes dépressives semblables à la dépression majeure, telle que nous l'avons expliquée plus tôt, et des périodes de manie. En phase de manie, les personnes ont une énergie phénoménale, une bonne humeur excessive, un sentiment de toute puissance, une estime d'elles-mêmes grandiose et une augmentation de la sensation de plaisir. Elles ne dorment presque plus, parlent sans arrêt et peuvent entreprendre un nombre incalculable de projets. Le jugement de ces personnes étant affecté, elles adoptent des comportements impulsifs, à haut risque, dont les conséquences peuvent être très négatives : dépenses excessives, sexualité à risque, investissements financiers non réfléchis. L'état de la personne et son fonctionnement sont très différents de sa façon d'être habituelle. Cette maladie nécessite une médication pour stabiliser l'humeur et prévenir les rechutes. L'hospitalisation s'avère souvent nécessaire pour protéger la personne, parfois même contre son gré, car en période de manie, la personne se sent euphorique et n'est pas consciente des risques liés à sa condition.

Les individus qui ont des traits de personnalité impulsifs, intenses et qui sont instables ont aussi des variations importantes de l'humeur. Toutefois, leur humeur est extrêmement changeante et elle varie selon les événements. Leur impulsivité peut alors être confondue avec les comportements à risque adoptés par les bipolaires en phase de manie. La différence est qu'une fois la maladie bipolaire stabilisée, la personne cessera ses comportements à risque. Par contre, la personne dont le problème se situe au niveau de la personnalité est prompte et en réaction : l'impulsivité fait partie de sa structure. Rappelez-vous le schéma du chapitre précédent, qui comparait les fluctuations des émotions chez une personne intense et chez une personne qui les régularisait bien. Dans le cas de la maladie bipolaire, le niveau des hauts et des bas est aussi extrême que chez les personnes intenses mais l'humeur se maintient beaucoup plus longtemps dans ces excès (au moins deux semaines), ce qui donne une courbe moins en dents de scie.

L'instabilité émotionnelle peut être confondue avec la maladie affective bipolaire. Ce qui les différencie, entre autres, c'est la durée des hauts et des bas.

Les troubles anxieux

Tout le monde peut vivre de l'anxiété et cette anxiété peut prendre différentes formes : palpitations, difficultés à respirer, chaleur, agitation, maux de ventre, étourdissements… L'anxiété est une réaction normale de l'organisme qui réagit à un stress ou à une menace. Par exemple, lorsqu'une voiture fonce sur nous, qu'un animal sauvage s'approche en grognant ou qu'une alarme de feu retentit, il est essentiel de réagir. Mais parfois, l'anxiété peut prendre des proportions démesurées. Il existe plusieurs troubles anxieux, comme les phobies, l'anxiété sociale ou le trouble obsessionnel-compulsif, et chacun de ces troubles présente des caractéristiques spécifiques. Seul un médecin peut évaluer la nature du problème et juger du traitement nécessaire.

Les individus qui ont une personnalité difficile peuvent parfois ressentir une anxiété très vive en réaction à divers contextes. Ce qui déclenche l'alarme, c'est-à-dire ce qui déclenche l'anxiété, est la plupart du temps la peur de perdre l'autre, d'être rejeté, d'être séparé de l'autre. C'est ce qui menace le plus leur fonctionnement : ils deviennent alors méfiants, portant attention à tous les détails de leur environnement. Toutefois, il est également possible qu'un trouble anxieux se greffe aux problèmes de personnalité. Si l'anxiété nuit au fonctionnement normal, c'est-à-dire si elle devient envahissante au point de perturber les activités personnelles, professionnelles ou sociales, il faut consulter un médecin.

Les psychoses

La psychose est un terme utilisé pour nommer une perte de contact avec la réalité. Plusieurs maladies mentales peuvent avoir pour symptôme une psychose, la plus connue étant la schizophrénie. Les personnes psychotiques, c'est-à-dire atteintes d'une psychose, peuvent voir ou entendre des choses qui n'existent pas ; c'est ce qu'on appelle des « hallucinations », visuelles ou auditives. D'autres peuvent se croire victimes d'un complot ou être investies d'une mission, c'est ce qu'on appelle le « délire ». On dit alors qu'elles sont « dans leur monde ». Des déséquilibres chimiques importants dans le cerveau de la personne psychotique altèrent ses perceptions, ses pensées et éventuellement son fonctionnement global.

Les gens qui ont une personnalité difficile peuvent parfois présenter, pendant une brève période, des symptômes de psychose. Toutefois, ces symptômes sont transitoires, c'est-à-dire qu'ils ne durent pas longtemps. Ils apparaissent en réaction à une anxiété très importante. Il peut arriver, par exemple, qu'un individu devienne momentanément plus méfiant et qu'il s'imagine que tout le monde est contre lui. Certains décrivent des moments où ils se sentent coupés de leurs émotions ou même déconnectés de ce qui se passe. C'est un peu comme être dans la lune, mais de façon prolongée. Ce symptôme est en fait un mécanisme de défense qui permet de se protéger d'une émotion ou d'une situation jugée menaçante ou trop intense.

Il existe aussi une forme de psychose appelée « psychose toxique », qui est due aux effets nocifs que peut avoir la drogue ou une grande quantité d'alcool sur le cerveau.

> Environ les deux tiers des gens qui ont une personnalité impulsive, intense et instable abusent de l'alcool, des drogues ou des médicaments.

La toxicomanie

Environ les deux tiers des gens qui ont une personnalité impulsive, intense et instable abusent de l'alcool, des drogues ou des médicaments. C'est une caractéristique importante de leur état et les conséquences sont parfois désastreuses. Ils consomment souvent ces substances pour des raisons particulières : pour combler un vide, diminuer l'intensité des émotions, se calmer, et parfois aussi dans le but de se détruire. C'est leur façon de réagir aux situations difficiles. Dans les faits, la consommation abusive d'alcool et de drogues peut :

- augmenter l'impulsivité (qui est déjà importante);
- favoriser les fluctuations de l'humeur et, dans le cas de l'alcool, entraîner une humeur dépressive;
- perturber le sommeil (faire dormir moins longtemps et moins bien);
- augmenter l'anxiété, parfois jusqu'à la panique;
- diminuer la capacité de se contrôler et de gérer les émotions intenses;
- augmenter le risque de suicide;
- augmenter l'irritabilité et l'agressivité;
- compliquer les relations avec les autres;
- faire perdre confiance en ses propres moyens;
- provoquer de brèves pertes de contact avec la réalité;
- entraîner la sensation d'être menacé, en danger ou victime d'un complot.

Il existe plusieurs ressources pour les gens qui souffrent de dépendance à l'alcool, aux drogues ou aux médicaments. Il existe aussi quelques ressources spécialisées qui traitent à la fois les problèmes de toxicomanie et de personnalité. La bonne nouvelle est qu'une fois le problème de toxicomanie résolu ou contrôlé, les traits de caractère difficiles comme l'impulsivité peuvent être beaucoup moins sévères.

CAPSULE LÉGALE

Les démêlés avec la justice

Les substances telles que l'alcool, le cannabis ou la cocaïne portent atteinte au jugement et augmentent le risque d'accidents en tout genre. De plus, toute personne, même en état d'intoxication, est légalement tenue responsable de ses actions et doit en assumer les conséquences. Ainsi, en prenant soi-même la décision de s'intoxiquer, on est responsable de tous les gestes que l'on pose. En fait, les individus impulsifs, même s'ils ne consomment pas de drogues ou d'alcool, ont souvent des démêlés avec la justice car ils agissent sans réfléchir aux conséquences de leurs gestes.

chapitre 4

Les répercussions sur l'entourage

« J'ai l'impression de toujours marcher sur des œufs, avec mon conjoint », « Je n'en peux plus ! », « J'ai tout essayé pour aider mon frère... », « Je suis à bout ! », « Je me sens pris en otage par ma fille. »

Ces phrases lourdes de sens illustrent bien le sentiment partagé par plusieurs familles d'individus qui ont une personnalité difficile. Il est fréquent de les entendre dire qu'ils sont complètement dépassés, découragés et que leur vie est sous le contrôle de leur proche. Ils deviennent étourdis, épuisés et perdent souvent les moyens qu'ils utilisent habituellement pour s'adapter aux situations de crise.

STEVEN

« Le calvaire d'une mère... voilà les mots que je mets sur ma souffrance, ma peine, mon impuissance, mon désarroi, mon inquiétude de mère. Mon fils unique a trente ans. Oui, il est différent des autres enfants. Il a une personnalité forte, il est ambitieux, travaillant. Mais ce qui lui a rendu service hier, aujourd'hui lui fait tort. Il a pris ses responsabilités jusqu'à ce que sa femme le laisse. Et là, il a été incapable de gérer cette peine. Il est devenu en colère et impuissant face à ses émotions. De jour en jour, son état s'est détérioré. Il a perdu son contrat. Il a dû vendre sa maison.

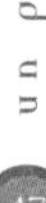

Il coule. Les médecins ont dit qu'il avait un problème de personnalité limite. Mais son problème devient mon problème... Où sont mes limites ? Je les cherche encore et toujours. J'ai l'impression que ma présence est requise auprès de lui, tout le temps. Je suis sa bouée de sauvetage ! Mon quotidien est lourd. Je n'ai pas de vie sociale, je n'ose plus m'éloigner même pour une fin de semaine, je n'ai pas le goût de m'amuser, je mets toute mon énergie à essayer de le rétablir. »

Peggy, sa mère

Peggy vit actuellement un stress immense engendré par la situation de crise de son fils Steven, qui semble ne pas être capable de surmonter les difficultés liées à son divorce. Chez les personnalités difficiles, il est fréquent qu'une rupture amoureuse, un revers financier ou de graves problèmes de santé soient déclencheurs d'une désorganisation de leur monde émotionnel, de leur vie quotidienne et de leur comportement.

Comme Peggy, les familles de ces individus ressentent une détresse émotionnelle dont le niveau est nettement supérieur à celui de la population en général. Les émotions vécues sont nombreuses, complexes et souvent envahissantes. Comme tant d'autres dans la même situation qu'elle, Peggy ressent peur, impuissance, colère, honte, tristesse, déception et culpabilité. L'intensité de ces émotions douloureuses indique à quel point il est difficile de vivre avec un proche ayant une personnalité difficile. Il est normal de ressentir ces émotions. Mais que se passe-t-il dans la relation entre Peggy et son fils pour qu'elle soit envahie de tant d'émotions et pour que sa propre qualité de vie soit si dégradée ?

La personnalité difficile : un trouble relationnel

Rappelons que les traits de personnalité comme l'impulsivité, l'intensité et l'instabilité affective se manifestent essentiellement dans le contexte des relations que l'on entretient avec notre entourage, c'est pourquoi nous pouvons parler de « troubles relationnels ». Et pour qu'il y ait une relation, il doit y avoir au moins deux personnes ! On sait que les individus qui ont des troubles relationnels transmettent et communiquent facilement leurs malaises et leur détresse. Rappelons-nous Sophie qui attend l'autobus. L'intensité des émotions, dans ce cas-ci la colère, est tellement forte pour elle qu'elle doit trouver le moyen de faire baisser la tension. On a vu que les autres personnes qui attendaient l'autobus ont pu retrouver leur calme en se disant : « C'est décevant, mais ce n'est pas grave, un autre autobus passera bientôt. » Mais Sophie ne sait pas se calmer, elle n'a pas le même contrôle d'elle-même. Inconsciemment, un des moyens qu'elle utilise pour se soulager, c'est de s'en prendre au premier venu et de provoquer sa colère. Elle pourrait par exemple enrager jusqu'à ce que le prochain autobus arrive, monter à bord et dire au chauffeur : « Votre système de transport est pourri ! », ce qui aurait pour effet de provoquer le chauffeur, qui ne comprendrait pas ce qui se passe et répondrait à son tour : « Mais pour qui vous prenez-vous ? » S'ensuivrait alors une réaction en chaîne : Sophie, se sentant elle-même « agressée », aurait encore plus de difficultés à contrôler ses émotions.

L'entourage sert alors de soupape permettant d'évacuer une trop grande pression. Sophie tente par tous les moyens de se départir de cette émotion vive qu'elle ne peut tolérer. Elle est lucide mais, par contre, elle ne réalise pas pourquoi elle agit ainsi, tout se passe beaucoup trop vite. Souvent, les individus impulsifs sont eux-mêmes surpris par l'intensité de leurs réactions. C'est donc un mécanisme très problématique dans les relations avec les autres, mais très efficace pour Sophie car, si elle transmet sa colère, l'émotion devient alors moins intense pour elle, un peu comme dans un processus de vases communiquants. Les autres expriment de la colère à sa place, ce qui la soulage mais provoque inévitablement une réaction négative, parfois même haineuse, à son égard. Sophie se sent alors victime, sans comprendre que sa propre attitude est à l'origine de l'attitude des autres. En fait, les personnes qui ont le même type de personnalité que Sophie ont la particularité de nous faire sentir comme ils se sentent eux-mêmes.

Les émotions vécues peuvent être tellement intenses qu'elles deviennent intolérables et que des mécanismes psychologiques se mettent alors en place pour faire baisser la tension intérieure.

De même, la peur d'être rejeté peut entraîner des comportements qui font que les autres se sentent rejetés à leur tour. Prenons Christine, par exemple, jeune femme impulsive, intense et instable qui est en sortie avec des amies. À la fin de la soirée, elle propose à ses compagnes d'aller prendre un deuxième café chez elle, proposition qui n'est pas retenue par les autres. Elle se sent alors exclue du groupe, incapable de comprendre que des facteurs autres que sa valeur personnelle entrent en ligne de compte dans la décision de ses amies, par exemple l'heure tardive. Pour elle, c'est un drame; elle devient alors irritable et de mauvaise humeur, puis fait abruptement part de sa décision de retourner chez elle. Ses amies sont alors surprises de son attitude, se demandant ce qui a bien pu se passer. En fait, on voit dans cet exemple que Christine tente de se défendre du mieux qu'elle peut contre une émotion puissante, intense et destructrice. Son but n'est pas de nuire mais plutôt de communiquer sa souffrance, pour faire baisser sa propre tension intérieure. C'est un mécanisme de défense très efficace contre les émotions difficiles.

Christine peut aussi craindre de ne pas être appréciée de ses amies, et avoir la conviction intérieure qu'elle est toujours mise à l'écart. Le refus de ses amies provoque en elle ce dont elle a le plus peur : se sentir rejetée, car c'est ainsi qu'elle interprète le refus de ses amies de prendre un deuxième café. En réagissant de manière désagréable, elle provoque ensuite inconsciemment ce qu'elle craint le plus, c'est-à-dire le rejet, renforçant par le fait même sa conviction de ne pas être aimée des autres. Quelle complexité !

On sait que les individus qui, comme Christine, ont une personnalité difficile ont comme plus grande peur celle d'être rejetés, abandonnés, mal-aimés. Ils interprètent le moindre signe comme un signal d'alarme en ce sens. La peur de la séparation réelle ou imaginée est le déclencheur d'une réaction en chaîne, c'est le bouton rouge ! Ainsi, lorsqu'ils craignent la fin d'une relation, ils deviennent encore plus impulsifs, intenses et instables. Ces émotions sont très envahissantes et intolérables. Certains décrivent ce phénomène comme une colonne qu'ils sentent monter en eux et dont ils tentent de se libérer par tous les moyens. Malheureusement, les moyens qu'ils choisissent pour se soulager de ces émotions intolérables sont souvent dangereux et nuisibles pour eux et pour les autres. Sur le coup de l'impulsion, ils peuvent par exemple employer des moyens destructeurs tels que l'explosion de la colère, la violence ou des moyens autodestructeurs comme la prise de substances (alcool, drogues), l'automutilation et les gestes suicidaires.

Mon proche réalise-t-il qu'il est différent ?

Il n'y a pas de réponse simple à cette question. En fait, cela varie d'un individu à l'autre. Votre proche a l'impression que, pour lui, la vie est plus difficile que pour les autres, et il a probablement raison. Mais plusieurs attribuent en grande partie la cause de leurs problèmes aux autres et non à leur propre façon d'être dans leurs relations interpersonnelles. Souvent, ils se sentent victimes d'injustice ou d'incompréhension et ils ont de la difficulté à réaliser qu'ils contribuent, de par leur comportement, à cet état de fait. Dans leur perception des choses, la victime, c'est eux, pas vous. C'est pourquoi ils sont généralement peu compréhensifs face à vos inquiétudes et à ce que vous vivez.

Quand tout est noir ou blanc

Une autre caractéristique des personnes qui présentent des traits de personnalité difficile est leur incapacité à faire des nuances. Tout est noir ou tout est blanc, il n'existe pas de zone grise. Ces personnes utilisent régulièrement des mots qui font référence à des extrêmes, comme *toujours* et *jamais* : *« Je suis toujours mise de côté », « Il ne m'arrive jamais rien de bon dans la vie »* ou *« Je suis toujours seule, il n'y a jamais personne pour m'aider. »*

Il en est de même dans leur façon de se percevoir eux-mêmes, de percevoir leurs relations avec les autres ainsi que les événements. À leurs yeux, une personne sera alors entièrement bonne ou complètement mauvaise : le bon et le mauvais ne peuvent coexister au même moment dans un même individu, alors un seul aspect domine. Par exemple, ces personnes sont incapables de dire : *« Jacques, je t'aime. Par contre, je n'aime pas quand tu rentres plus tard que prévu sans m'aviser. »* Ils vont ressentir une grande colère envers l'autre lorsqu'il arrive en retard, le rejetant en bloc, sans saisir que ce n'est pas la personne au complet qu'ils n'aiment pas, mais bien juste un de ses aspects. Il se passe la même chose lorsqu'on leur fait des remarques. Prenons Hubert et Louise, couple dans la quarantaine qui planifie calmement son week-end. Hubert mentionne, sans aucune arrière-pensée que les planchers devraient être lavés avant qu'arrivent ses parents. Catastrophe ! Louise explose. Elle est en colère contre Hubert et, selon sa perception des choses, elle sent qu'il l'accuse de ne pas faire suffisamment le ménage et de négliger la maison. *« Elle est encore partie dans*

Pour eux, il n'existe pas de zone grise, tout est noir ou tout est blanc. Ils ont de la difficulté à faire des nuances et à vivre avec l'incertitude des zones grises.

ses histoires! » se dit Hubert. Louise poursuit en une longue tirade, lançant à Hubert que la maison n'est peut-être pas assez bien pour ses parents et que, finalement, elle ne sait pas ce qu'il fait avec elle ! Louise n'accepte aucune critique, elle prend toutes les remarques personnellement et se sent totalement remise en question. C'est un peu comme si elle n'était pas capable de faire des nuances et de tenir le raisonnement suivant : « *Hubert ne met pas l'amour qu'il a pour moi en doute lorsqu'il me suggère de laver les planchers, ni même lorsqu'il me donne un point de vue différent du mien sur certaines décisions que je prends ou certains comportements que j'adopte.* »

Dans le système des personnes dont la personnalité est difficile, il y a deux camps : les bons et les mauvais. D'un côté, il y a les membres de l'entourage qui sont parfaits et idéalisés et, de l'autre côté, il y a ceux qui sont perçus comme des moins que rien. D'après eux, il y a ceux qui comprennent et ceux qui ne comprennent pas, il y a ceux qui les aiment et ceux qui les rejettent. De plus, une des caractéristiques de ce type de personnes est leur fréquent changement d'opinion face à la valeur des autres. Leur perception peut donc complètement changer, et ce, de façon tout à fait subite, selon leur interprétation des événements. Ainsi, les bons peuvent devenir les mauvais et les mauvais devenir les bons !

« Quand j'ai rencontré Jocelyn, j'ai tout de suite été séduite par son intensité, son ambition et par ce qu'il avait déjà accompli à 32 ans. Il était super organisé, savait ce qu'il voulait et je le trouvais déterminé. Deux semaines après le début de notre relation, j'ai vu le revers de la médaille : il a explosé parce que je n'avais pas fait cuire la sorte de pâtes qu'il voulait ! Je n'ai rien dit cette fois-là et, évidemment, il a continué à être colérique. C'était l'enfer. Il hurlait, se fâchait pour des détails et, surtout, me regardait avec des yeux terriblement méprisants qui me faisaient sentir moins que rien. Le problème, c'est qu'après, il s'excusait, devenait mielleux et me disait qu'il ne le ferait plus. Autant j'étais la pire des créatures quand je faisais quelque chose qui ne lui plaisait pas, autant je devenais la plus extraordinaire des femmes quand il était calme. Dans ces moments, je retrouvais toutes les raisons pour lesquelles je l'avais choisi et je reprenais espoir. Je me suis mise à marcher sur des œufs pour éviter de le contrarier. Pour moi, c'était vraiment stressant, car je ne savais jamais à cause de quoi il allait s'énerver. C'était totalement imprévisible. Il était vraiment impulsif et colérique. Une vraie bombe. Plus le temps passait, plus ses réactions étaient intenses. Je me sentais impuissante face à lui et en même temps indécise. Devais-je rester ou partir ? Quelques mois plus tard, il a remarqué que je commençais à penser qu'il fallait nous séparer, et cela a agi comme un déclencheur. Il faisait des efforts pour se contrôler, mais je pense qu'en fait, il n'en était pas capable. Je sais bien que, dans le fond, il m'aimait, mais sa peur de me voir partir a juste fait augmenter l'intensité de ses explosions. Je me suis mise à avoir peur qu'il me touche. En fait, je me suis même mise à avoir peur de le laisser ! J'ai compris que c'était de la violence, que j'étais prise en otage. Je n'aurais jamais cru que ça puisse m'arriver à moi… J'ai décidé de le laisser, allant à l'encontre de l'opinion de tout mon entourage qui ne voyait que ses bons côtés. Il a fallu aussi que je fasse le deuil de toutes les bonnes choses qu'il m'apportait, parce que, bien sûr, il y en avait. Mais j'ai décidé de ME choisir et de ME respecter. Jocelyn est alors allé consulter et il m'a parlé de son problème de personnalité. Il va beaucoup mieux aujourd'hui. On se voit encore, mais je prends mon temps… »

Élise, sa conjointe

Le sentiment d'impuissance et d'être pris en otage

Se sentir pris en otage dans une relation, c'est avoir l'impression de ne plus pouvoir faire de choix librement de peur des réactions de son proche.

Élise se sent impuissante. Elle subit les humeurs de Jocelyn. Chacune des décisions qu'elle prend ou des attitudes qu'elle adopte est susceptible de provoquer une réaction explosive chez lui. Elle a le sentiment de marcher dans un champ de mines, ne sachant pas quand elle va provoquer une explosion, quand elle va se retrouver dans le camp des bons ou dans le camp des mauvais. Ce sentiment est puissant, car il est associé à l'impression qu'on est responsable de ce qui arrive et responsable des comportements de l'autre. Généralement, les membres d'une famille dont l'un d'eux a des troubles de la personnalité deviennent confus, extrêmement indécis et peuvent même se chicaner. Ils se remettent en question et doutent d'eux-mêmes. Les répercussions sur l'estime de soi et le sentiment de compétence sont sérieuses. Les personnes de l'entourage d'un individu à la personnalité difficile se sentent impuissantes et prises en otage par celui-ci, qu'elles aiment pourtant. Naissent alors des conflits au sein de la famille. Alors que certains membres de la famille et de l'entourage perçoivent leur proche comme souffrant et démuni, les autres le perçoivent comme manipulateur, provocant et dramatique. De fait, les premiers croient que leur proche a besoin d'écoute, de soutien et d'une grande attention, alors que les autres croient qu'un encadrement serré et des limites fermes sont nécessaires. De toute évidence, les personnes difficiles sèment souvent la zizanie dans leur entourage. C'est un phénomène fréquent, qui se produit même dans les équipes de professionnels pourtant habitués à traiter ce type de personnalités.

Danielle et David racontent dans un groupe d'entraide la situation qu'ils vivent actuellement avec leur fils de 26 ans, Thomas. Celui-ci vit encore chez ses parents, il ne travaille pas, a abandonné l'école depuis longtemps et occupe ses journées à écouter de la musique avec ses amis et à fumer ce qui semble être de la drogue dans le sous-sol de la maison familiale. Thomas est un jeune intense qui se fâche rapidement et qui n'a jamais accepté les contraintes imposées par ses parents. Il les terrorise, car lorsqu'il est en colère, il est verbalement violent. Ses parents avaient pris le parti de ne plus l'affronter, afin d'éviter les ennuis. Malheureusement, la situation est de plus en plus insoutenable. Les années passent et rien ne change. Thomas vit aux dépens de ses parents, il monopolise le sous-sol, ce qui empêche ses deux jeunes sœurs adolescentes d'y descendre et d'avoir accès à l'ordinateur. Il écoute fréquemment de la musique durant la nuit et réveille toute la maisonnée. La famille n'a pas pris de vacances à l'extérieur depuis deux ans, car ils ne veulent pas laisser Thomas seul à la maison. La dernière fois que cela est arrivé, les voisins ont dû faire venir les policiers à 4 heures du matin, en raison du

Est-ce que mon proche me manipule?

Cette question est fréquente et justifiée. Tout dépend de la définition que l'on donne au terme *manipuler*. Si, pour vous, *manipuler* signifie que votre proche utilise le pouvoir qu'il *a* sur vous pour arriver à ses fins, pour que vous l'aidiez à gérer ses propres émotions ou pour que vous le soulagiez de ses responsabilités, alors, oui, on peut dire qu'il vous manipule. Par contre, si ce terme signifie pour vous que votre proche *a* l'intention précise et préméditée de vous utiliser, de vous blesser, de vous exploiter, alors, dans la majorité des situations, ce n'est pas le cas. Généralement, les individus impulsifs, intenses et instables n'ont pas beaucoup d'autocritique, c'est-à-dire qu'ils n'ont pas spontanément la capacité de prendre conscience de leurs problèmes et de l'impact de leurs comportements sur les autres. C'est pourquoi les professionnels hésitent à dire qu'ils sont manipulateurs. C'est un terme péjoratif qui sous-entend que

►

▶

votre proche veut volontairement faire du mal à ceux qu'il aime, ce qui est rarement le cas. Mais cela ne veut surtout pas dire qu'il ne faut pas les tenir responsables de leurs gestes, au contraire. C'est en les responsabilisant et en leur laissant vivre les conséquences de leurs gestes qu'ils prendront conscience de l'impact de leur comportement sur les autres, que leur pouvoir destructeur sur les autres diminuera et qu'ils assumeront leurs responsabilités.

bruit. Les policiers avaient alors arrêté des jeunes qui possédaient de la drogue et la maison était dans un fouillis total au retour de Danielle et David. Ils sont épuisés. Ils ne s'entendent plus sur les moyens à prendre pour mettre fin à cette situation. Même dans leur couple, la situation se détériore…

Danielle et David veulent aider leur fils, mais ils en viennent souvent à se disputer, ils sont fatigués, découragés et ne savent plus que faire. Ils ont parfois l'impression de lui nuire. Ils veulent qu'il se sente aimé mais ils craignent qu'il ne les rejette s'ils ne font pas ce qu'il demande. Ils savent depuis longtemps qu'il n'accepte pas facilement les limites, que ses réactions sont intenses et qu'il peut même parfois poser des gestes extrêmes. Ils veulent à tout prix éviter de vivre et revivre ses sautes d'humeur et, parfois, ils « achètent la paix », une fois de plus, en espérant que ça va passer. Mais voilà, acheter la paix avec une personne dont la personnalité est difficile est bien souvent une façon de reporter le problème à plus tard, de l'amplifier même, car ce sont des personnes intelligentes qui comprennent vite les avantages qu'elles peuvent tirer d'une situation. Thomas tyrannise ainsi ses parents et leur rend la vie infernale. C'est sa façon à lui d'être en relation avec les autres.

Sauveur, victime ou agresseur

Il existe plusieurs façons de vivre avec ceux qui présentent une personnalité difficile, mais, en général, les membres de leur entourage réagissent en adoptant un des trois rôles suivants pour tenter de survivre : celui de sauveur, de victime ou d'agresseur.

	ATTITUDE ET COMPORTEMENT	EXEMPLES DU DISCOURS INTÉRIEUR
Le sauveur	▪ Protège la personne. ▪ Cherche les solutions et les applique. ▪ Assure une présence constante. ▪ Assume toutes les responsabilités. ▪ Paie les pots cassés.	▪ « Je dois faire quelque chose. » ▪ « Je suis la seule personne qui le comprenne vraiment. » ▪ « Il n'y a que moi qui puisse l'aider. » ▪ « Si je ne fais rien pour l'aider, il va finir par se tuer. »
La victime	▪ Se retire et évite toute confrontation. ▪ Se sent abusée et prise en otage. ▪ Exprime son impuissance.	▪ « Ma vie est un enfer à cause de lui. » ▪ « Il me fait peur, je perds tous mes moyens. » ▪ « C'est moi qui ai besoin d'aide. »
L'agresseur	▪ Se sent en colère. ▪ Adopte une attitude provocante et cherche la confrontation. ▪ Rejette la personne.	▪ « C'est de sa faute ! » ▪ « Il mérite ce qui lui arrive. » ▪ « Je le déteste. » ▪ « Je le laisse tomber. »

Ces réactions sont normales et légitimes : elles servent à se protéger et à s'adapter. Ces trois rôles varient beaucoup dans le temps, ils évoluent selon les situations, les contextes et les étapes de la vie, mais aussi selon le niveau de tolérance, selon la fatigue et l'épuisement ressentis face à la personne ayant une personnalité difficile. Ils dépendent aussi de l'expérience de chacun. Par contre, certaines personnes adoptent des années durant la même attitude de sauveur, de victime ou d'agresseur, sans se rendre compte que cette position contribue à maintenir le même système relationnel avec leur proche.

C'est en les responsabilisant et en leur laissant vivre les conséquences de leurs gestes qu'ils prendront conscience de l'impact de leur comportement sur les autres, que leur pouvoir destructeur sur les autres diminuera et qu'ils assumeront leurs responsabilités.

Lorsque tout s'embrouille, que vous vous sentez débordé et avez perdu le contrôle de votre vie, il est grand temps de prendre du recul et d'essayer de mettre en pratique des stratégies qui vous aideront à apprendre à vivre avec votre proche.

DEUXIÈME PARTIE
DES STRATÉGIES POUR SURVIVRE

« Qu'est-ce qu'on peut faire? »

D'abord, ne pas nuire.

Faire quelque chose d'utile pour améliorer en premier lieu sa qualité de vie, ensuite la relation avec son proche.

Faire quelque chose de différent, quelque chose qui fonctionne, instaurer un changement, briser le cercle vicieux.

Faire quelque chose pour sauver sa peau, pour garder la tête froide, pour continuer à vivre sa vie.

« Notre situation familiale s'est beaucoup améliorée depuis que j'ai appris à faire respecter mes limites à ma fille Linda » **– Diane**

« Parfois, ce sont des petits trucs simples qui font toute la différence dans le déroulement de la soirée avec ma blonde » **– Justin**

« J'ai appris qu'avec mon frère, il fallait lui laisser un peu de temps pour qu'il puisse exprimer ses émotions. Rien que le fait de lui dire que je comprends permet d'éviter des crises. » **– Albert**

« Je sais maintenant qu'à un moment donné, il ne sert plus à rien de continuer à discuter avec ma mère. Je préfère alors me retirer, même si j'aimerais tellement lui expliquer mon point de vue. » **– Julie**

« Mon fils me respecte beaucoup plus depuis que je respecte moi-même mes propres limites dans ma relation avec lui. » **– Alain**

« Rien que le fait de savoir qu'il y a des gens qui comprennent ce que je vis me soulage. » **– Éva**

« Depuis que j'ai compris comment ma fille fonctionnait dans ses relations avec les autres, beaucoup de choses se sont améliorées entre nous. Je ne suis pas fin psychologue, mais je sais dorénavant bien mieux comment l'aborder. Maintenant, je ne lui donne plus de grands conseils et je ne lui dis plus quoi faire. Je sais qu'elle n'a pas confiance en elle, et je me suis rendu compte que plus je lui donne de conseils, moins elle a confiance en elle. Je la traite en adulte, même si parfois je la trouve plutôt immature, car plus je la traite en enfant, plus elle agit comme un enfant. C'est comme si, à ce moment-là, je ne lui envoyais pas le message que j'ai confiance en elle et qu'elle peut améliorer son sort. Je l'encourage, par exemple. Et alors, c'est d'elle qu'elle est contente. Je me mets davantage à son niveau. J'essaye de faire des choses simples avec elle, de lui faire vivre des petites réussites. J'ai compris qu'elle ne voyait pas la vie à travers les mêmes lunettes que moi et que c'était à moi de m'adapter à sa façon de percevoir les personnes et les événements si je voulais l'aider. Je ne me laisse plus troubler par toutes les émotions qu'elle vit. J'ai appris à garder la tête froide par rapport à elle. J'essaye de ne plus m'énerver avec ses affaires, même si c'est difficile. Elle a quand même fait deux tentatives de suicide et j'ai beaucoup de difficultés à m'enlever ça de la tête. Mais je ne veux plus être sa victime. Dernièrement, j'ai rencontré un ami qui est un peu au courant de toutes mes histoires avec ma fille. Il m'a dit : « Je suis content pour toi, tu as l'air serein, ta fille va mieux ? » Eh bien non, ma fille ne va pas vraiment mieux, c'est moi qui ai changé et qui vais mieux… J'apprends à vivre avec… »

Theo, son père

Theo a appris à vivre avec la réalité de sa fille mais chacune de vos situations est différente, selon l'histoire de votre famille, vos propres antécédents et le lien qui vous unit à votre proche. Toutefois, que vous soyez père, mère, conjoint, frère ou sœur, il y a de l'espoir. Même si vous vous sentez actuellement impuissant, il existe des changements et des stratégies concrètes et efficaces qui peuvent avoir un impact sur la relation que vous entretenez avec votre proche ainsi que sur votre qualité de vie. Plusieurs familles avant vous ont pu les expérimenter. Il vous faudra beaucoup de courage car il est difficile de changer, surtout quand les problèmes sont installés depuis plusieurs mois, voire des années.

Si vous êtes souffrant, que vous vous sentez responsable de votre proche ou que vous avez la sensation d'être pris en otage par lui, c'est qu'il existe des liens affectifs souvent très forts entre votre proche et vous. Il vous est probablement difficile de prendre vos distances, ce qui est pourtant nécessaire pour vous protéger vous-même, mais aussi pour mieux aider votre proche. Lorsque la relation est destructrice, épuisante et que, parfois, vous avez même peur de votre proche, vous n'êtes plus en mesure de l'aider. Il est même possible que vous lui nuisiez alors, même si vos intentions sont bonnes et remplies d'amour.

Dans certaines situations extrêmes, il faut parfois se résigner à accepter que certaines choses ne changeront pas, que vous devrez peut-être apprendre à vivre avec et à accepter votre proche tel qu'il est. Mettre un terme à la relation, temporairement ou définitivement, est aussi une mesure déchirante mais possible, à laquelle vous pourriez ultimement recourir.

Y a-t-il de l'espoir que mon proche s'améliore ?

Oui, il y a de l'espoir que votre proche s'améliore. D'abord, sachez que certains traits de caractère s'atténuent avec l'âge. En vieillissant, en gagnant en maturité et en tirant des leçons des expériences douloureuses, un grand nombre de comportements impulsifs de votre proche diminueront probablement. De la même façon, il a été prouvé par des recherches échelonnées sur une longue période que les comportements autodestructeurs, incluant l'automutilation, diminuent avec l'âge. La grande variation des émotions est par contre la caractéristique de votre proche qui risque de persister le plus les années passant.

D'autres facteurs peuvent contribuer à l'amélioration de votre proche. Accepter d'être aidé, apprendre à mieux se connaître, développer son estime de soi permet de développer une meilleure qualité de vie. Les traitements mis au point ces dernières

▶

Vous devez donc faire face à plusieurs défis, et vous avez la possibilité de choisir comment vous allez continuer à vivre cette relation. La section qui suit a pour but de vous aider à relever ces défis. Vous y trouverez stratégies et conseils, qui seront des moyens de plus à ajouter à la gamme d'outils qui peuvent vous aider à survivre et à améliorer votre qualité de vie. Certaines démarches vous conviendront plus que d'autres, selon votre situation et la nature des problèmes qui existent dans la relation avec votre proche.

▶

années sont également encourageants et porteurs d'espoir.

Vous pouvez aussi jouer un rôle important dans l'amélioration de l'état de votre proche en vous informant sur ses problèmes, en comprenant mieux ce qui se joue dans la relation que vous entretenez avec lui et en développant des stratégies pour mieux vivre avec lui. Rappelez-vous toutefois que plus votre proche a de problèmes associés à son trouble de personnalité, comme la toxicomanie, plus le cheminement sera difficile, pour lui comme pour vous.

chapitre 5

Apprendre à faire respecter ses limites

« Mets tes limites, ça n'a aucun bon sens! » Voilà une remarque que vous avez probablement déjà entendue. Mais qu'est-ce que cela veut dire, exactement? Quels sont les enjeux soulevés par la décision de mettre ses limites? Pourquoi est-ce si compliqué et émotionnellement chargé? Dans la relation avec des individus à la personnalité difficile, mais également dans toutes les relations humaines, le respect des limites de chacun est à la base d'une relation harmonieuse et respectueuse. Les différentes étapes et le questionnaire auto-administré que nous vous suggérons à la fin de ce chapitre vous aideront à mieux comprendre les étapes nécessaires reliées à la décision de faire respecter vos limites.

Reprenons l'histoire de Danielle et David et de leur fils Thomas, jeune adulte de 26 ans. Que se passe-t-il, dans cette famille? Comme nous l'avons vu plus tôt dans les pages de ce livre, il s'est installé entre Thomas et ses parents une dynamique malsaine, qui s'envenime au fil du temps et qui engendre chez ses parents impuissance, épuisement et colère. Ils ont besoin d'aide pour mieux comprendre ce qui se passe et pour reprendre le contrôle de leur vie.

La première chose que les professionnels conseillent aux parents est de faire respecter leurs limites. Votre situation n'est peut-être pas semblable à la leur, mais le processus reste le même, peu importe le contexte. Adaptez à votre propre réalité les étapes que nous vous proposons.

Avoir des attentes réalistes face à votre proche vous permettra de mieux profiter de ses côtés positifs, de ses qualités et de l'amour que vous avez pour lui.

Étape 1. La prise de conscience

Cette première étape est une forme de préparation personnelle essentielle au processus. Elle consiste en une réflexion portant sur les difficultés que vous vivez dans la relation avec votre proche.

Réfléchissez à ce qui est inacceptable pour vous dans le comportement de votre proche. Pour imposer vos limites, vous devez d'abord être convaincu que vous prenez la bonne décision. Beaucoup de courage et de ténacité sont nécessaires pour modifier une dynamique établie depuis parfois très longtemps. Vous devez donc être convaincu, mais surtout en harmonie, avec la décision que vous prenez, sans que ce que les autres disent autour de vous ne vous influence. Vous gagnerez à cibler de façon réaliste ce que vous ne voulez plus supporter.

Si, du jour au lendemain, vous exigez de votre proche une multitude de changements, votre proche risque de vous opposer une grande résistance, surtout si vous avez perdu le contrôle de la relation depuis un certain temps. Il est préférable de cibler une ou deux choses qui sont prioritaires pour vous, des points sur lesquels vous ne voulez plus céder. Même si les parents de Thomas souhaiteraient le voir travailler, avoir des relations harmonieuses avec ses sœurs et accumuler de l'argent pour mener une vie autonome, il est peu réaliste de penser que tous ces changements pourraient s'opérer rapidement. Espérer des changements majeurs et rapides est le plus souvent irréaliste. Le défi consiste à trouver le juste milieu entre ce qui est vivable et acceptable pour vous et ce qui est réalistement atteignable pour votre proche. Danielle et David doivent s'asseoir ensemble pour discuter et identifier les comportements de Thomas qui les dérangent le plus. Dans leur situation, ce peut être la musique la nuit, la visite tardive des amis ou bien l'absence de contribution financière aux dépenses de la famille. Il arrive également que les frustrations accumulées depuis longtemps ainsi que l'épuisement poussent certains à poser des gestes draconiens, à les regretter et à céder de nouveau, ce qui ne fait qu'empirer le conflit.

La situation d'Émilie ressemble à celle de Thomas. Ils ont le même âge et vivent tous les

Quand la peur s'installe...

Il peut arriver que votre situation soit si grave que vous ne vous imaginiez même pas pouvoir imposer des limites et appliquer des conséquences de peur d'être agressé physiquement ou verbalement par votre proche, quel qu'il soit. Si c'est votre cas, il faut agir. Vous vivez dans un climat de terreur dans votre propre maison et c'est vous qui êtes retranché. Vous devez vous attendre alors à devoir imposer des sanctions beaucoup plus radicales, telles que l'expulsion de votre proche de la maison, avec l'aide des policiers s'il le faut. Toutes les situations ne sont pas aussi dramatiques, mais l'expérience nous a appris que plus tôt vous réagirez et imposerez vos limites, moins vous risquerez de vous retrouver dans une escalade, tant dans le comportement de votre proche que dans les moyens que vous devrez utiliser ensuite pour reprendre le contrôle de la situation.

deux chez leurs parents. Pourtant, leurs personnalités difficiles se manifestent de façon différente. Autant Thomas fuit ses parents et vit dans son univers au sous-sol, autant Émilie est incapable de rester seule et de ne pas être le centre d'attention principal de ses parents. Émilie exprime intensément ses émotions. Ses proches ressentent bien les montagnes russes de ses émotions qui varient au cours de la même journée. Elle est à fleur de peau et n'accepte aucun commentaire. Pourtant, elle demande incessamment conseils et approbation à ses parents, critiquant ensuite toutes leurs suggestions. Elle n'arrive pas à garder les emplois qu'elle déniche pourtant facilement et se laisse influencer par ses amis, changeant de passion selon les intérêts de ses nouvelles connaissances. Pour des raisons différentes, ses parents sont aussi épuisés que ceux de Thomas.

Même si la nature de la relation avec leur jeune est différente, les parents de Thomas et ceux d'Émilie ont d'abord besoin de mettre leurs limites pour pouvoir récupérer et surtout pour prendre une distance objective face à la situation. Ils partagent le même sentiment d'être envahis, débordés émotionnellement et même pris en otage par leur proche qui, de par son comportement, a complètement pris le contrôle de leur vie.

Prenez conscience du fait que votre proche ne prendra pas l'initiative du changement.

Nous avons vu que les traits de personnalité difficile de votre proche se manifestent dans la relation qu'il entretient avec les autres. Un jeune comme Thomas, impulsif, intense et instable, n'a pas la capacité de bien comprendre le point de vue de l'autre parce qu'il est trop centré sur ses besoins. Vous éprouverez beaucoup de déception si vous laissez passer le temps en espérant que les choses changent d'elles-mêmes de façon un peu magique. Ce n'est généralement pas le cas. Votre proche trouve son compte dans la façon dont sa relation avec vous se déroule actuellement et il y a peu de chances qu'il change sans pression de l'extérieur. Pourquoi Thomas ferait-il des efforts pour se trouver un emploi quand il est nourri, logé et qu'il peut faire tout ce qu'il veut dans la maison familiale ?

Arrêtez de vous demander pourquoi votre proche est comme cela et concentrez vos énergies à savoir **comment** vous pourriez agir pour que les choses changent. Vous trouverez peu de solutions à vos problèmes actuels et à ceux de votre proche en remuant sans cesse le passé. Y retourner peut être très douloureux. Concentrez-vous sur l'avenir et sur la façon dont vous voulez vivre les prochaines années.

Comprenez que, parfois, c'est le fait même de ne pas établir de limite qui encourage les comportements problématiques. D'une certaine façon, Danielle et David encouragent

Thomas à ne pas changer. Il est très difficile de faire respecter ses propres limites à un proche qui a une personnalité difficile et, comme nous l'avons vu plus tôt, le choix le plus facile pour éviter les affrontements est parfois le laisser-faire. Par contre, cette latitude laissée au proche entretient parfois le problème et permet au cercle vicieux de se perpétuer.

Attendez-vous à ce que ce soit très difficile pour votre proche et pour vous. Certaines habitudes sont solidement installées et il faut que vous vous attendiez à ce qu'il y ait beaucoup de résistance de la part de votre proche. Plus le problème de votre proche est grave, plus les mesures à prendre pour imposer vos limites seront importantes. Et plus la personnalité de votre proche est rigide, plus il aura du mal à s'adapter à vos nouvelles exigences. Évidemment, l'adaptation ne sera pas la même pour lui selon la nature des nouvelles limites que vous lui imposez. Les enjeux ne seront pas les mêmes pour Thomas si ses parents décident de l'obliger à payer une pension plutôt que s'ils exigent seulement le calme durant la nuit.

Ce sera aussi douloureux pour vous. Vous serez probablement envahi de doute et de culpabilité. La culpabilité est la principale raison pour laquelle les limites sont si difficiles à imposer ; c'est aussi l'origine de la peur de ne plus être aimé, d'être rejeté et de faire de la peine. Vous ne devez pas sous-estimer l'intensité de ces émotions. Reconnaître que vous les ressentez est déjà une façon de mieux les vivre. Rappelez-vous l'image suivante : une de vos jambes vous fait violemment souffrir et le médecin vous dit : « Nous n'avons pas le choix, votre seule chance d'amélioration est de casser votre jambe pour qu'ensuite les os se ressoudent et cessent de vous faire souffrir. Vous aurez mal, mais ensuite ça ira mieux. » C'est un peu la même chose avec votre proche ; il est parfois nécessaire de passer par une crise majeure pour réussir à changer la dynamique malsaine dans laquelle vous êtes engagés.

Allez chercher du soutien pour vous auprès de ceux qui vous aiment, de vos amis, mais aussi auprès de spécialistes en relation d'aide. Plusieurs personnes ont mentionné dans leurs témoignages qu'elles ne pouvaient faire respecter leurs limites sans avoir d'abord pris confiance en elles et avoir parlé de leur situation. Vivre avec un proche difficile remet plusieurs valeurs, perceptions et certitudes en question. Aller chercher de l'aide fait partie d'un processus sain et salvateur. C'est ce que Danielle et David ont fait. Ils ont consulté une travailleuse sociale au CLSC de leur secteur. Ils auraient également pu consulter un professionnel en pratique privée ou se référer à l'équipe traitante de Thomas s'il en avait eu une. Vous pouvez consulter la section des ressources en annexe pour de plus amples informations.

À la fin de cette étape, vous devriez normalement avoir ciblé le comportement que vous espérez voir changer chez votre proche.

Danielle et David ont ensemble décidé que Thomas ne pourrait plus monopoliser l'ordinateur familial et que celui-ci serait dorénavant installé dans le salon. Ils ont également identifié que le bruit nocturne était dérangeant pour toute la famille, et ont donc décidé que la musique devrait cesser la nuit et que les amis de Thomas devaient quitter la maison à 21 heures.

Vous pouvez agir et reprendre le contrôle de votre vie. La honte et la culpabilité sont des émotions nuisibles qui contribuent à faire perdurer le sentiment d'impuissance.

Étape 2. L'identification des conséquences qu'entraînera la transgression de ses limites

VALÉRIE

Cette deuxième étape cruciale consiste à décider des conséquences qu'entraînera le fait de ne pas respecter les limites que vous aurez établies. Mettre une limite, c'est surtout imposer une conséquence lorsque survient le comportement que vous cherchez à voir disparaître. Un jour, Hubert, le père de Valérie, jeune adulte de 23 ans, expliquait dans un groupe d'entraide qu'il n'en pouvait plus que sa fille prenne sa voiture sans son autorisation : « Je lui dis pourtant de ne pas le faire, qu'il faut que j'aille travailler, mais elle ne m'écoute pas. » L'intervenante lui demanda alors quelles étaient les conséquences imposées à Valérie suite à sa désobéissance. « Aucune » fut la réponse du père. Il expliqua qu'il essayait de lui faire comprendre à quel point il se sentait triste qu'elle ne respecte pas sa demande. Avec certaines personnes comme

Valérie et Thomas, les mots ne sont pas suffisants, des gestes doivent être posés pour arriver à faire respecter ses limites. Avec l'appui du groupe d'entraide, Hubert décida de retirer les clés de la voiture à sa fille. Beaucoup d'émotions s'ensuivirent pour Hubert, car il se sentait coupable. En revanche, avec le temps, il y eut une grande amélioration à la maison, car Valérie avait réellement compris qu'elle devait gagner le privilège d'utiliser la voiture de son père.

Les parents de Thomas, quant à eux, furent bien embêtés quand vint le temps de décider des conséquences qu'ils imposeraient à leur fils. En fait, Danielle et David n'étaient pas d'accord. David se sentait prêt à appliquer des mesures plus radicales, allant jusqu'à obliger son fils à quitter la maison tandis que Danielle ne pouvait envisager cette éventualité. Il arrive souvent que les proches des personnes difficiles ne s'entendent pas sur les conséquences à imposer. Une des caractéristiques de ces individus est justement de semer la discorde dans leur entourage. En fait, c'est souvent ce qui fait leur force. Pendant que leur entourage discute, argumente et va même jusqu'à s'entredéchirer, ils ne voient pas leurs habitudes bouleversées. Ils profitent des tensions pour asseoir leur pouvoir sur le système malsain et empêcher la concrétisation des limites.

Danielle et David se sont entendus sur les conséquences suivantes : retrait du système de son et de la télévision du sous-sol s'ils étaient utilisés entre 22 heures et 9 heures et interdiction aux amis d'entrer dans la maison si Thomas ne leur demandait pas de partir à 21 heures.

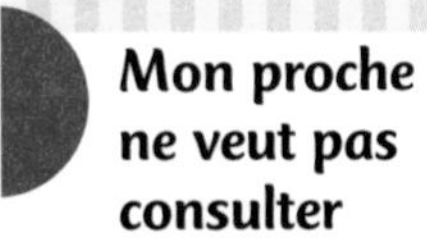

Mon proche ne veut pas consulter

Votre proche n'acceptera probablement pas facilement de consulter des professionnels de la santé. Il n'a peut-être pas encore suffisamment pris conscience de ses problèmes et n'en a sans doute pas encore assez subi les conséquences. La difficulté à reconnaître ses problèmes fait partie de la problématique même des personnes possédant des traits de personnalité difficile. Même lorsqu'ils souffrent, qu'ils expriment leur détresse, leurs insatisfactions et leur découragement, ils acceptent difficilement l'idée qu'ils ont le pouvoir de changer. L'accepter, c'est aussi accepter une responsabilité dans ce qui va mal. C'est un processus parfois très long, qui demande beaucoup de courage et la capacité de se remettre en question. Généralement, c'est lorsque toutes les portes se sont fermées dans leur entourage et qu'ils ont épuisé leurs ressources les unes après les autres qu'ils finissent par vouloir apporter des changements dans leur vie.

Dois-je parler ouvertement avec mon proche des problèmes qu'il semble avoir ?

Oui. Votre proche sera sans doute soulagé de pouvoir mettre un nom ou des mots sur les problèmes qu'il vit. Il se sentira ainsi compris et moins seul. Cette discussion peut être l'occasion pour vous de faire savoir à votre proche que vous reconnaissez sa souffrance et que vous cherchez des moyens de l'aider. Ce peut être aussi un bon moment pour lui dire que vous vous sentez impuissant et démuni face à ses problèmes, mais qu'il existe des professionnels spécialisés dans ce domaine. Plus vous serez calme et compréhensif, plus vous avez de chances que votre message passe. Votre proche ne sera toutefois peut-être pas prêt à prendre les moyens nécessaires pour changer. Il peut même refuser d'en entendre parler. Il est alors d'autant plus important que vous fassiez respecter vos limites.

Étape 3. La mise en œuvre

Alliez-vous aux autres personnes importantes de l'entourage de votre proche ainsi qu'à ses thérapeutes si votre proche est suivi par des professionnels. Ce que vous vivez est difficile. En informant les autres des décisions que vous avez prises pour faire respecter vos limites à votre proche, vous renforcez votre pouvoir et augmentez ainsi vos chances de réussite. Impliquez le plus de personnes possible. Hubert avait mis ses autres enfants au courant, afin qu'ils soient préparés aux réactions de Valérie et qu'ils ne lui donnent pas les clés de la voiture. Ainsi, tout le monde a pu agir dans le même sens pour aider Valérie et Hubert.

Préparez votre plan d'action. Vous devez vous attendre à ce que votre proche vous teste. N'entretenez pas l'illusion qu'il « n'osera jamais faire cela ». Il se dit la même chose ! Vous devez préparer un plan d'action concret qui vous aidera à mieux traverser la crise que risque de provoquer votre décision. Un modèle de fiche qui regroupe les numéros de téléphone d'urgence et ceux des personnes qui peuvent vous aider vous est proposé en annexe de ce livre. Il peut être très utile d'avoir ces numéros sous la main en cas d'urgence.

Avisez votre proche de votre décision, des conséquences qui seront imposées, des mesures que vous prendrez et des choix qui s'offriront alors à lui. Pour cette étape, il faut choisir un moment où vous êtes calmes tous les deux. Vous pouvez, si la situation s'y prête, signer une entente détaillée et rédigée par vous deux. Vous trouverez en annexe un modèle de contrat d'entente que vous pouvez utiliser. C'est à vous de décider jusqu'à quel point cette étape en est une de négociation. Vous pouvez vous en tenir à informer votre proche de votre décision ou bien discuter certains points sur lesquels vous êtes prêt à céder. Mais attention de ne pas perdre de vue votre objectif. Vous avez sûrement affaire à un fin stratège ! Vous devez aussi être le plus précis possible dans vos exigences. Dire à Thomas : « Tu ne peux plus écouter de musique forte entre 22 heures et 9 heures » est bien plus concret et laisse beaucoup moins de place à l'argumentation que de lui dire « Tu ne peux plus écouter de musique forte durant la nuit », le concept de nuit étant bien différent pour Thomas et pour ses parents !

Danielle et David se sont donc assis avec Thomas un dimanche après-midi. Ils lui ont présenté les décisions prises. Danielle lui a remis par écrit les demandes ainsi que les gestes qui seraient posés dans l'éventualité du non-respect de ces exigences. Thomas n'est pas resté à table. Il s'est levé en criant : « Vous ne comprenez jamais rien ! » et est retourné au sous-sol.

Sa réaction était prévisible et compréhensible. Votre proche n'acceptera pas de bon gré de perdre des acquis. Avec le temps, il comprendra peut-être que c'est pour votre bien, mais aussi pour le sien que vous agissez ainsi. Il tient à vous, plus qu'il ne le montre et plus qu'il ne veut se l'avouer. Vous pouvez le soutenir en l'aidant à gérer ses émotions intenses, comme nous le verrons au prochain chapitre, et en lui suggérant de se référer à des ressources spécialisées.

Étape 4. Le maintien des acquis

Faites ce que vous avez dit que vous feriez, de façon constante et cohérente. C'est ce qui déterminera si vous serez capable de faire respecter vos limites. De façon générale, il est inutile d'imposer un règlement auquel aucune sanction n'est associée. Prenons, par exemple, l'interdiction de fumer à quelques mètres des portes d'entrée des hôpitaux. Si personne ne surveillait et n'imposait de contraventions, la majorité des gens continueraient à fumer près des portes. Avec votre proche, c'est exactement la même chose. En fait, il est encore pire pour la qualité de votre relation avec lui de dire que vous allez faire quelque chose et de ne pas le faire ou de ne le faire que de temps en temps. Vous avez la responsabilité de prendre les moyens nécessaires pour faire respecter vos limites. Et avec une personne impulsive, intense et instable, vous devez être très ferme et constant dans l'application des conséquences, sinon le message ne passera pas. Si vous

La prévisibilité : la clé du succès

Plus votre proche est impulsif, intense et instable, plus il a besoin que son entourage soit, à l'inverse de lui, prévisible, stable et constant. C'est ce qui l'encadre et le structure. On dit aussi que c'est ce qui le « contient ». En fait, c'est ce qui lui permet de ne pas déborder et de rester dans des limites socialement acceptables. Si son environnement de travail, la personnalité de son conjoint ou les réactions de sa famille sont, tout comme lui, caractérisés par l'impulsivité, l'intensité et l'instabilité, il est certain que cela aura un effet amplificateur sur sa personnalité. Être prévisible signifie que votre proche sait comment vous allez réagir dans une situation précise. Par exemple, il peut apprendre que s'il vous insulte au cours d'une discussion, vous allez mettre fin à la conversation. Pour faire cet apprentissage, votre proche a besoin d'expérimenter **à plusieurs reprises** votre réponse à ses

▶

refusez parfois que votre conjoint prenne de l'argent dans votre portefeuille sans vous en parler et que parfois, en revanche, vous ne réagissez pas, il est fort probable qu'il va continuer à le faire. À ce moment, c'est vous qui devenez imprévisible !

En résumé, voici les étapes à suivre pour faire respecter vos limites :

Étape 1. La **prise de conscience** : vous identifiez ce que vous ne voulez plus endurer (vous établissez vos limites).

Étape 2. Vous choisissez les **conséquences** qu'entraînera la transgression de vos limites.

Étape 3. La **mise en œuvre** : vous avisez votre proche et votre entourage.

Étape 4. Le **maintien des acquis** : vous appliquez de façon constante les conséquences.

▶

comportements problématiques. C'est pourquoi il vous faut persévérer dans votre attitude envers lui, quitte à paraître rigide et incompréhensif. C'est à force de répéter les mêmes choses que les changements s'opèrent. C'est parfois long et épuisant pour les familles, mais c'est généralement efficace.

Questionnaire auto-administré

Voici un questionnaire qui peut vous aider à réfléchir sur les limites que vous voulez faire respecter.

Date : ______________________________

Quels problèmes avec mon proche puis-je identifier ?

____

____

____

Qu'est-ce qui me cause le plus de problèmes actuellement ?

____

____

____

Que voudrais-je voir changer ?

____

____

____

Qu'est-ce que je crains le plus dans la réaction de mon proche face à ma décision ?

____

____

____

Quel est le pire qui, selon moi, pourrait arriver ?

____

____

____

En cas de transgression, quelles conséquences me sentirais-je capable d'appliquer?

Qui peut m'aider à faire respecter mes limites?

Comment vais-je annoncer mes décisions à mon proche?

Dans quelles circonstances vais-je avoir de la difficulté à faire respecter ma décision?

Quels événements pourrais-je me remémorer (mauvais souvenirs) afin de m'aider à imposer mes limites?

Les professionnels qui suivent mon proche refusent de me rencontrer et ne retournent pas mes appels. Pourquoi et que faire?

Les professionnels qui œuvrent dans le milieu de la santé sont régis par des codes de déontologie et par les lois d'accès à l'information qui garantissent la confidentialité à leurs clients. Ces lois sont très contraignantes, mais visent d'abord et avant tout la protection des patients. En santé mentale, on sait que la concertation entre les différents professionnels, mais aussi avec la famille, est primordiale pour assurer des soins de qualité. C'est encore plus important pour la clientèle dont le problème est lié aux traits de personnalité.

Malheureusement, à partir du moment où votre proche refuse que son médecin et ses thérapeutes communiquent avec vous, sa demande doit être respectée. Le respect de son droit est en jeu, mais également le lien de confiance avec lui. Ce lien est essentiel à une relation thérapeutique saine.

D'autre part, même si le client est d'accord pour que les thérapeutes et les membres de la famille échangent des informations, dans la majorité des situations, il est déconseillé de le faire sans qu'il soit présent. Vous savez à quel point votre proche peut parfois être méfiant, déformer la réalité ou se sentir exclu. L'expérience a montré aux intervenants que la meilleure stratégie était de faire ce que nous appelons des « rencontres réseau », où toutes les personnes impliquées dans la situation sont invitées à se rencontrer en même temps, en présence du principal concerné. Cette façon de faire permet que tous entendent la même chose en même temps, ce qui évite les mauvaises interprétations et assure que tous travaillent dans le même sens. Pour votre proche, c'est l'occasion d'entendre les autres s'exprimer sur sa situation et sur la perception qu'ils ont de lui. Même si certaines choses sont difficiles à entendre, c'est très thérapeutique en soi.

Pour les membres de la famille, une bonne dose de courage est nécessaire pour exprimer inquiétudes, peurs et désapprobation. Dites-vous que, lorsque des professionnels sont présents pour vous soutenir et accompagner votre proche dans son cheminement, c'est le moment de dire ce que vous pensez réellement.

chapitre 6

Aider votre proche à gérer ses émotions

Imposer ses limites à un proche impulsif, intense et instable provoque souvent une explosion d'émotions. Une situation de crise bien réelle peut en découler. En fait, à chaque fois qu'un individu ayant une personnalité difficile rencontre une limite, se heurte à un obstacle ou encore est exposé à une façon différente de la sienne de voir les choses, il est fort probable qu'il vivra des émotions intenses.

Votre proche a probablement déjà explosé émotionnellement. Vous avez sûrement essayé de l'aider de toutes sortes de façons, avec plus ou moins de succès, vous retrouvant finalement avec un sentiment d'incompréhension et d'impuissance. Chacun à sa façon explose de souffrance, de colère ou de tristesse quand le vase déborde. Vous connaissez sûrement le scénario habituel de votre proche lorsqu'il exprime ses émotions intenses. Certains vont avoir tendance à retourner le trop-plein d'émotion contre eux-mêmes tandis que d'autres auront tendance à s'en prendre à leur entourage. Pour aider votre proche à éviter l'escalade des émotions et des comportements qui y sont associés, des interventions simples de votre part sont possibles. Il vous appartient de découvrir ce qui, dans le cas spécifique de votre proche, est efficace ou non. Malheureusement, il n'y a pas de recette miracle et infaillible. C'est un peu un apprentissage par essais et erreurs. Il faut être très attentif aux réactions que vos interventions suscitent chez votre proche.

Il peut aussi arriver que, quoi que vous fassiez, la crise soit inévitable. Vous devez alors accepter votre impuissance, assurer votre protection et laisser votre proche aller au bout de ses expériences et subir les conséquences des gestes qu'il pose, surtout lorsqu'il est en crise. Cela demande beaucoup de courage. En tant que parent, sœur, conjoint, on veut naturellement éviter les épreuves à ceux qu'on aime et on veut éviter qu'en situation de crise, les choses ne dégénèrent, mais malheureusement, il n'y a parfois pas d'autre solution envisageable.

FABIOLA

« Lorsque j'ai vu que ma fille Fabiola risquait de se faire expulser de son logement parce qu'elle ne payait pas son loyer, j'ai voulu lui éviter d'avoir plus d'ennuis qu'elle n'en avait déjà. Mais j'avais beau la prévenir de ce qui allait inévitablement arriver, elle ne s'organisait toujours pas pour payer son proprio. J'ai payé quelques fois son loyer au cours de l'année, mais elle a finalement reçu son avis de la Régie du logement. Ce fut la catastrophe ! Fabiola est comme ça depuis longtemps, on a beau lui dire qu'elle fonce droit dans un mur, tant qu'elle ne s'est

pas cassé le nez dessus, elle ne croit pas qu'il est là... Je trouve cela tellement dommage et douloureux pour elle, mais aussi pour nous tous qui en subissons les répercussions !

Mario, son père

Comme Mario, votre défi est d'accepter votre impuissance face à la vie de l'autre. Sinon, vous allez payer un prix personnel élevé, en plus de nuire à votre proche.

Rappelez-vous que ces stratégies sont suggérées pour vous aider à mieux vivre avec votre proche. Elles ne supposent aucunement que vous devez assumer la responsabilité de son retour au calme. L'application de ces stratégies demande d'avoir un bon contrôle de ses propres émotions, beaucoup d'énergie et une bonne compréhension des personnalités difficiles. Par contre, vous n'êtes pas le thérapeute de votre proche et vous avez le droit de ne pas vouloir l'aider à gérer ses émotions intenses. Vous choisissez vos propres limites dans le type de relation que vous voulez vivre avec votre proche et c'est votre responsabilité de les faire respecter.

Plus vous serez vous-même solide, aurez confiance en vous et serez en mesure de gérer vos propres émotions, plus vous pourrez aider votre proche, tout en préservant votre énergie et votre qualité de vie.

Il existe des techniques qui permettent d'aider un proche à gérer ses émotions intenses. Ces techniques, utilisées en relation d'aide, ont fait leurs preuves sans toutefois que vous ayez à vous substituer aux professionnels de la santé. Elles peuvent vous aider, ainsi que votre proche, à mieux traverser les crises.

Attention ! Au moment de la crise, si votre proche est en état d'ébriété, est drogué ou sous l'effet de fortes doses de médicaments, les stratégies que vous devez appliquer ne sont pas les mêmes. Vous devez tenir compte du fait qu'une personne intoxiquée n'a pas la même capacité de raisonner, que son jugement est altéré et qu'elle peut être plus impulsive. Autrement dit, il ne sert à rien de discuter avec elle à ce moment. Vous perdez votre temps, votre énergie et risquez même de mettre votre sécurité en jeu.

ALEXANDRE

« Mon conjoint, Alexandre, lui, il connaît son problème. Tous les critères diagnostiques du trouble de personnalité, il les a et le reconnaît : l'impulsivité, la colère intense, la peur d'être rejeté, l'instabilité de l'humeur, la mauvaise estime de soi… Mais le problème c'est que, des fois, il utilise ça comme excuse : "C'est pas de ma faute, si je suis borderline*!" On ne sait jamais à quoi s'attendre avec lui. J'aimerais lui faire confiance, mais je ne peux pas. Je le vois dans ses yeux quand il "part" dans ses histoires. Son regard devient méfiant. Nos fils aussi s'aperçoivent qu'il a un problème. Les enfants ont compris que, parfois, il cherche littéralement la chicane en nous provoquant. Les enfants ressentent beaucoup de choses. C'est un peu comme s'il n'avait pas de juste milieu… Un jour, il s'est lancé dans le bénévolat, mais avec excès. Il ne s'occupait plus de nous pendant ce temps-là. C'était démesuré. Il a besoin qu'on lui mette des limites. De mon côté, je l'encourage dans ce qui va bien. Il ne faut pas trop attendre pour réagir à ces problèmes-là. Si vous éprouvez encore de l'amour, courez, il est urgent d'aller chercher de l'aide et du soutien pour faire respecter VOS limites. Nous, les conjoints, on a besoin de faire valider nos interventions, d'obtenir du* feedback *sur ce que l'on fait afin de savoir si c'est bien ou non. Comme si on avait besoin de se faire dire ce qui est correct et ce qui ne l'est pas. J'en ai vécu, de la violence conjugale, mais je ne m'en suis aperçu que tardivement. Je pensais que c'était moi qui avais un problème. C'est sûr, il m'accusait tout le temps d'avoir tort ! J'ai fini par douter de moi-même. Mais maintenant, j'ai compris que ce n'était pas*

seulement moi, le problème. Il fallait que des choses changent sinon, moi, je ne continuais pas. Pour moi, mais aussi pour nos garçons. Ça va beaucoup mieux depuis que les choses sont claires et qu'il sait ce que j'attends de lui. »

Dominique, sa conjointe

La validation des émotions

Dans un premier temps, il est important de se faire une idée de l'intensité de la crise qu'est en train de vivre votre proche, afin d'adopter le niveau d'intervention nécessaire et d'identifier la personne la plus apte à l'aider, car ce n'est peut-être pas vous. Nous verrons quelles sont les différentes stratégies à privilégier selon les niveaux d'intensité des réactions émotives. Mais d'abord, une stratégie est à la base de toutes les interventions : la validation des émotions.

Matthieu, jeune professionnel de 30 ans, est dans la file d'attente, à la banque, depuis déjà 20 minutes ; il attend son tour pour faire un dépôt au comptoir. Il fait chaud, il a plusieurs paquets dans les mains et il s'impatiente. Dans sa tête s'ébauche alors un discours intérieur qui s'intensifie : il n'en peut plus de cette banque, les clients sont mal traités, le service est inefficace, il n'y a pas d'air, pas de chaises. Il en veut aux personnes âgées qui n'ont pas encore appris à utiliser le guichet. Il est pressé, il occupe un poste important. Il voudrait que l'on reconnaisse qu'il devrait être traité différemment des autres quand il se présente. Matthieu bout ! Dès que c'est son tour, il

Une guerre de pouvoir peut s'installer entre lui et vous si vous niez l'intensité de ses émotions.

s'avance vers la caissière et commence à lui manifester son mécontentement sur un ton accusateur. La caissière, immédiatement, lui répond : « Je vous comprends, vous avez attendu longtemps et c'est inacceptable. Nous sommes seulement trois caissières aujourd'hui et nous aimerions tellement être plus nombreuses pour mieux vous servir. C'est décevant d'attendre si longtemps... » Instantanément, Matthieu se calme. Il a été compris et entendu.

La caissière aurait pu se sentir directement attaquée et mise en cause par les accusations de Matthieu. En fait, il est vrai que l'attitude de son client était déplorable et que c'est fort désagréable de se faire traiter ainsi. Il aurait été légitime et compréhensible qu'elle réponde : « Ce n'est tout de même pas de ma faute ! » ou bien « C'est comme ça, Monsieur ! », mais ces répliques n'auraient pas eu l'effet de désamorçage souhaité. Matthieu aurait alors continué à vouloir faire valoir son point de vue, avec force et énergie, en continuant d'affronter la caissière.

Cet exemple, qui peut sembler banal comparativement aux situations beaucoup plus dramatiques que vous vivez avec votre proche, illustre pourtant bien à quel point une guerre de pouvoir peut s'installer entre lui et vous si vous niez l'intensité de ses émotions.

Reconnaître et nommer les émotions vécues, c'est ce qu'on appelle « la validation ». Cette stratégie simple permet à votre proche de mieux gérer l'intensité de ses émotions et d'empêcher l'escalade des moyens qu'il utilise pour se faire comprendre. En faisant comprendre à votre proche que vous êtes à l'écoute de sa souffrance, vous lui permettez de se sentir compris et « validé ». Vous l'aidez également à mettre des mots sur les émotions intenses qu'il ressent. Nous avons vu que les individus comme votre proche reconnaissent difficilement leurs émotions au moment où ils les ressentent. La différence entre la tristesse, la déception et la colère n'est pas toujours claire pour eux. Les émotions les envahissent et les submergent tandis que les mécanismes de raisonnement sont perturbés. Matthieu est un jeune homme intelligent, il sait très bien que ce n'est pas la faute de la caissière si l'attente est si longue, mais il ne peut s'empêcher de déverser son trop-plein, sans réfléchir. Mais attention, il faut faire une distinction essentielle : « valider les émotions » ne signifie pas « valider le comportement »! La caissière n'encourage pas Matthieu à reproduire son comportement, elle l'encourage à s'exprimer en reconnaissant l'intensité de l'émotion qu'il ressent. Au lieu de l'affronter, elle se met dans le même camp que lui : « Moi aussi, en tant que caissière, je subis la décision administrative de la banque de réduire le nombre d'employés. »

Reconnaître et nommer les émotions vécues par votre proche, c'est ce qu'on appelle la validation. Mais attention, il faut faire une distinction essentielle : « valider les émotions » ne signifie pas « valider le comportement problématique ».

Pour valider les émotions, deux étapes distinctes sont suggérées.

L'écoute : Écoutez attentivement l'autre, en adoptant une attitude d'ouverture. À ce moment-ci, vous n'avez pas à juger si votre proche a raison ou non d'être en colère ou triste. Il se peut qu'il vienne de subir un gros échec, comme un congédiement, mais souvent, des événements qui peuvent vous sembler anodins, comme d'avoir manqué un autobus, ont de très fortes répercussions sur eux et sont vécus comme catastrophiques. Votre proche est intense et susceptible de réagir plus dramatiquement. Cette première étape doit être limitée dans le temps. Autant il est primordial de prendre le temps d'écouter, autant il est essentiel de le faire dans une limite raisonnable de temps. En général, moins il s'est écoulé de temps entre l'événement déclencheur et le moment où vous écoutez votre proche, plus il est nécessaire de passer du temps à écouter. Mais même quand l'événement vient juste de survenir, cette étape ne devrait pas durer plus que quelques minutes. Écouter plus longtemps devient inutile et maintient votre proche dans son état émotif difficile.

La validation et le reflet : Dites à votre proche avec vos propres mots ce que vous comprenez de ce qu'il ressent, comme la caissière l'a fait avec Matthieu : « C'est vrai que c'est choquant d'attendre en ligne. » Par exemple : « Je te comprends, c'est décevant de se faire refuser un emploi comme celui-là. » Nommez à votre proche les émotions qu'il vit, au-delà de ce que vous pensez de la situation. Cela l'aide à identifier ce qu'il ressent et à apprendre à mieux distinguer les émotions telles que la colère ou la tristesse, ou encore la déception. C'est l'effet miroir : « Tu es vraiment fâché », « Tu sembles vraiment triste de ce qui se passe », « Tu as raison d'être déçu que je ne puisse aller te reconduire au CÉGEP. » Il est important d'être sincère dans votre démarche. Si votre proche a l'impression de ne pas être pris au sérieux, vous risquez d'obtenir le résultat inverse de celui que vous vouliez susciter.

Par contre, votre proche n'a pas tous les droits sous prétexte qu'il est envahi par ses émotions. Vous ne devez pas valider des attitudes agressives envers vous. Par exemple, si Matthieu ne s'était pas calmé lorsque la caissière lui a dit : « Je vous comprends… », et s'il avait levé le poing ou frappé le comptoir en devenant plus menaçant, la caissière n'aurait pas pu continuer sa stratégie de validation. Elle aurait alors dû privilégier sa propre sécurité, lui dire que ce comportement était inacceptable et lui demander de quitter la banque, ou bien s'éloigner pour aller chercher de l'aide. Elle aurait alors clairement établi ses limites. La validation aurait pu fonctionner, mais Matthieu était, dans cette situation, à un niveau d'intensité émotionnelle qui ne favorisait pas la communication.

Il existe trois niveaux d'intensité émotionnelle et, pour chacun d'eux, les stratégies préconisées sont différentes. Le tableau suivant vous aidera à mieux comprendre ce qui les différencie et à ajuster vos interventions en conséquence.

Les différents niveaux d'intensité émotionnelle

PREMIER NIVEAU

Expression émotionnelle intense

Manifestations possibles

- Votre proche est légèrement agité, parle fort, pleure, parle vite, peut être difficile à comprendre, la situation semble dramatique.

Caractéristiques de ce niveau

- Il collabore avec vous et accepte votre aide.
- Il reconnaît qu'il y a un problème et qu'il peut agir au moins en partie sur ce problème.
- Il cherche et envisage des solutions.

Stratégies préconisées

- Validez les émotions : écoutez et validez les émotions que vous percevez sans juger des motifs du débordement.

  « *Tu sembles en colère.* »

  « *C'est vrai que c'est choquant.* »

- Repassez le film des événements : demandez à votre proche de raconter en détail ce qui s'est passé, avant, pendant et après l'événement. Cette étape a pour but d'aider votre proche à reprendre le contrôle de ses émotions en s'attardant aux faits, de vous permettre d'obtenir de l'information sur ce qui s'est réellement passé et de sonder le discours intérieur de votre proche, c'est-à-dire ce qui s'est passé dans sa tête pour que cela suscite en lui tant d'émotions.

  « *Raconte-moi ce qui s'est passé en détail ?* »

  « *Qu'est-ce que tu penses que ta blonde a voulu dire ?* »

- Concentrez-vous sur la résolution du problème : à ce moment-ci, il ne sert à rien de discuter avec votre proche du pourquoi. Vos énergies doivent être concentrées sur le futur. Ce n'est pas le moment non plus de tenter de lui faire entendre raison. Pendant qu'il se concentre sur les solutions, l'intensité des émotions diminue.

« *Et maintenant, qu'est-ce que tu peux faire?* »

- Mettez-vous d'accord sur un plan d'action : aidez votre proche à trouver des solutions concrètes au problème vécu, à identifier les démarches prioritaires à effectuer et à identifier les ressources disponibles. En annexe de ce livre, nous vous proposons une fiche de démarche de résolution de problème que votre proche peut utiliser, s'il le désire.
- Responsabilisez, tout en encourageant : laissez votre proche faire ses propres démarches en évitant de les faire à sa place. Plus vous prendrez de responsabilités, moins il en prendra, ce qui vous exposera d'autant à ses critiques ultérieures. Informez-vous des résultats, sans toutefois le surveiller.

DEUXIÈME NIVEAU
Explosion émotionnelle

Manifestations possibles

- Votre proche pleure sans pouvoir s'arrêter, crie, peut hurler, respire difficilement, peut s'en prendre aux objets.

Caractéristiques de ce niveau

- Les interventions du premier niveau ne fonctionnent pas.
- Toute la responsabilité de la situation est reportée sur les autres.
- Toutes les solutions proposées sont d'emblée rejetées par le proche.

Stratégies préconisées

- Encadrez votre proche : à ce niveau d'intensité émotionnelle, vos interventions sont très limitées et doivent avoir pour but le retour au premier niveau. Les mots sont peu utiles et il est aussi inutile d'argumenter. Votre proche n'a pas suffisamment le contrôle de lui-même pour comprendre les arguments que vous lui présentez. Ses pensées sont trop perturbées par l'intensité de ses émotions. Essayez d'abord de garder votre propre calme. Validez chaleureusement les émotions en reconnaissant ce qu'il vit et en avouant votre impuissance à l'aider lorsqu'il est dans cet état. S'il sent que vous ne vous énervez pas à votre tour et que vous reconnaissez sa souffrance, il devrait normalement se calmer. Le temps est un bon allié pour faire redescendre les tensions émotives.
- S'il est fâché contre vous, ce n'est pas le bon moment ni pour vous, ni pour lui de régler la situation. Demandez-lui de se retirer ou retirez-vous en précisant que vous ne pouvez pas discuter lorsqu'il est dans cet état. Il est fort probable que votre proche voudra continuer à argumenter. Exposez clairement votre limite. Si vous acceptez de discuter avec lui lorsqu'il est en perte de contrôle, vous ne l'encouragez pas et ne le motivez pas à reprendre son contrôle. Envoyez-lui le message clair que vous serez de nouveau disponible pour lui lorsqu'il sera plus calme.

TROISIÈME NIVEAU

Gestes extrêmes

Manifestations possibles

- Votre proche fait des menaces de suicide, menace de frapper, a recours à l'intimidation et à l'agression verbale, s'automutile.

Caractéristiques de ce niveau

- Votre proche a perdu le contrôle de ses émotions.
- Il utilise des moyens extrêmes pour soulager l'intensité de sa souffrance.
- Vous n'êtes plus la bonne personne pour l'aider.

Stratégies préconisées

- Assurez votre propre sécurité et celle de votre proche. Adoptez une distance sécuritaire. Changez de pièce, quittez la maison, appelez les secours (911) si ce n'est pas suffisant. En prévision de ces moments difficiles, une fiche d'urgence comme celle proposée en annexe peut être rédigée à l'avance pour que vous puissiez vous y référer en situation de crise. Elle regroupe les ressources disponibles pour assurer votre sécurité et celle de votre proche.
- Essayez brièvement d'obtenir la collaboration de votre proche pour l'emmener au service des urgences d'un hôpital s'il menace de se suicider. Sinon, composez le 911.

CAPSULE LÉGALE

La décision de porter plainte à la police

Il est fréquent que les individus impulsifs perdent le contrôle. Briser des objets qui appartiennent à autrui, faire peur avec un couteau ou un bâton, menacer de mort, frapper, sauter à la gorge sont des gestes inadmissibles pour tout citoyen. Ils le sont pour votre proche aussi, même s'il possède des traits de personnalité problématiques et même s'il a un problème de consommation de drogue ou d'alcool. Lorsque votre proche pose un geste si grave, les professionnels recommandent que vous portiez plainte auprès de la police. Quel déchirement ! Les familles sont souvent réticentes à le faire. Elles se sentent coupables d'être la cause de l'ouverture du casier judiciaire de leur proche ou encore de l'exposer à une peine de prison ou à une amende. Souvent, les membres de la famille qui vivent cette situation vont penser : « Il a déjà assez de problèmes comme ça. », « Il va avoir encore plus de difficultés à se trouver un emploi ». Il est vrai que les conséquences légales peuvent être lourdes, mais accepter que votre proche vous menace ou vous blesse l'est plus encore, pour vous mais aussi pour votre proche. À plus ou moins long terme, il y a un très haut risque que la situation se reproduise et un premier geste agressif peut être le début d'une escalade. Plus le message que vous envoyez à votre proche est clair, qu'avec les gestes d'agressivité vous avez un niveau de TOLÉRANCE ZÉRO, plus vous vous protégez. De plus, vous apprenez ainsi à votre proche que nous vivons dans une société où il est interdit de détruire les biens d'autrui, de terroriser et de blesser, et ce message en soi est éducatif même si c'est parfois un dur apprentissage. Rappelez-vous que votre proche, plus qu'un autre, a parfois besoin de mesures drastiques pour l'arrêter. Certaines situations sont dramatiques. Il peut arriver que personne n'arrive à aider votre proche, qu'il se détruise, détruise les autres autour de lui et que la seule personne qui puisse alors l'arrêter soit un juge qui lui impose des contraintes légales. La justice devient alors le seul levier d'intervention possible pour vous, mais aussi pour les professionnels impliqués.

Lorsque vous portez plainte auprès des policiers, assurez-vous d'avoir du soutien. C'est une procédure éprouvante pour les familles et pour les conjoints, mais parfois inévitable. Ce n'est pas vous qui avez posé le geste criminel, c'est votre proche et c'est à lui d'en assumer les conséquences.

« C'est ma sœur aînée… J'ai toujours senti qu'il y avait quelque chose qui n'allait pas chez elle. Léa était différente dans sa façon d'être et mes parents se comportaient aussi différemment avec elle, la percevaient et la traitaient différemment. Ce n'était jamais de sa faute, il y avait toujours un coupable qui l'avait incitée à faire des choses, elle n'était jamais responsable. Curieusement, elle était impliquée chaque fois. Mes parents disaient qu'elle était sensible et qu'il ne fallait pas la provoquer. Devant elle, on ne parlait jamais de rien qui soit susceptible de la troubler, de la blesser, de l'inquiéter. Elle posait souvent des gestes presque dangereux et, dès qu'on essayait de prendre des mesures pour l'aider, elle nous menaçait de poursuites, de partir sans plus jamais nous donner de nouvelles, de s'enlever la vie, etc. Ma sœur est explosive : elle frappe, lance des objets et peut faire très peur lorsqu'elle est en colère. Moi, je l'ai vue à maintes reprises se frapper, se donner des coups dans le ventre et se faire du mal sur le coup d'une émotion vive. À un moment donné, il y a eu une chicane

particulièrement dramatique, et elle a battu maman. Cette fois-là, elle a vraiment atteint mes limites! Suite à cet événement, les policiers nous avaient recommandé d'aller chercher une ordonnance d'examen psychiatrique, pour faire évaluer ma sœur. Moi, je me suis dit : "Soit elle est vraiment malade et elle doit se faire soigner, soit elle ne l'est pas et elle devra assumer les conséquences de ses actes." Elle a été évaluée et hospitalisée une semaine, puis le psychiatre nous a rencontrés et il nous a dit : "Je ne comprends pas comment vous avez fait pour supporter cela pendant aussi longtemps! Le cas de madame ne relève pas de la psychiatrie mais de la criminalité! Votre sœur n'a aucune maladie mentale, par contre, elle souffre d'un trouble de personnalité sévère. Vous devez absolument déposer une plainte officielle auprès de la police afin de la rendre responsable de ses actes." Nous avons déposé une plainte et elle a été reçue. J'étais d'avis qu'il fallait aller jusqu'au bout pour que ma sœur comprenne que ce qu'elle avait fait était inacceptable. Je nous prédisais l'enfer si on n'allait pas jusqu'au bout! J'ai dit à ma mère : "Ça va être pire, ça va s'aggraver, elle va avoir gagné et elle va se dire qu'elle peut continuer et même aller plus loin..." Mais ma mère était bouleversée à l'idée que sa fille puisse avoir un dossier criminel et, malheureusement, elle a retiré sa plainte... C'est à ce moment que j'ai décidé que c'était terminé et que je ne voulais plus avoir aucun contact avec ma sœur. Pour me libérer, parce que j'étouffais et que j'avais beaucoup d'agressivité à son égard, j'ai écrit deux pages sur la façon dont je la tuerais. Je sais que c'est terrible mais ma sœur est un être qui fait ressortir le pire de moi-même! Elle sait très bien où appuyer pour me faire mal, comment me nuire. Moi, c'est simple, je pense qu'elle joue. C'est une personne intelligente, elle sait très bien ce qu'elle fait et elle va presser le citron de tout le monde jusqu'au bout. J'ai fait beaucoup de choses pour l'aider. Je la soutenais dans ses relations tumultueuses avec ses conjoints, je l'ai aidée à déménager un nombre incalculable de fois, je lui ai même donné du travail dans mon entreprise pour l'aider à augmenter ses revenus, puisqu'elle était prestataire de l'aide sociale, et pour lui redonner de l'estime d'elle-même et un sentiment d'utilité. Je n'étais pas encore exaspéré comme maintenant. Mais avec le temps, je me suis rendu compte que, chaque fois que j'essayais *de l'aider, ou plutôt de la sauver, elle se retournait contre moi. Il n'y avait rien à faire, j'étais méchant, je l'exploitais et elle était une victime. Notre famille est complètement éclatée... Ça a créé des situations intolérables ! Si vous saviez le nombre de fois où le seul sujet de conversation, c'est ma sœur : ses comportements, ses histoires... C'est un véritable roman feuilleton ! C'est l'actrice principale, elle a le premier rôle dans la famille. J'ai l'impression que l'un de nous va finir par y laisser sa peau ! La vie de ma mère est brisée et la mienne est lourdement chargée : être en relation avec une personne comme elle, c'est un peu comme être victime d'une prise d'otage ! Pourtant, de son point de vue, c'est elle la victime, c'est elle qui est misérable. L'insécurité que ressent ma sœur a fait en sorte qu'elle se sente toujours exploitée, abusée par les gens autour d'elle, alors c'est très difficile de ne pas se sentir coupable et responsable, malgré la peur et la colère qu'il est légitime de ressentir. Ma sœur, c'est un boulet, c'est un vrai cauchemar ! »*

Marc, son frère

CAPSULE LÉGALE

Ordonnance d'examen psychiatrique Définition et étapes

DÉFINITION : Si vous jugez que votre proche se trouve dans une situation de danger grave et immédiat qui demande une intervention rapide, vous pouvez effectuer une démarche légale qui l'obligera à être évalué par un psychiatre. Cette démarche est exceptionnelle. Vous devez prouver à un juge de la Cour du Québec, à l'aide de faits et d'observations, que votre proche représente un danger pour lui-même ou pour les autres.

FORMULAIRE : Vous devez compléter un questionnaire, prévu à cet effet, qui vous aidera à expliquer pourquoi vous pensez que votre proche est en danger. Vous trouverez ce formulaire dans les CLSC, sinon ceux-ci vous orienteront vers la ressource de votre région qui a le mandat de vous aider dans ce processus. Vous devez être deux personnes, de la famille ou non, pour remplir ce formulaire, afin de donner du poids à votre témoignage. Rappelez-vous que ce n'est pas une procédure confidentielle. Votre proche saura que c'est vous qui êtes à l'origine de cette démarche. Toutefois, l'expérience montre que, même si sur le coup votre proche peut être fâché, habituellement, après quelques jours, il comprend mieux que vous avez fait ce que vous pensiez le plus approprié pour l'aider.

AUDITION À LA COUR : Vous devez vous présenter au palais de justice de votre ville avec votre formulaire complété. On vous orientera vers les personnes désignées pour traiter ce genre de dossiers. Le jour même, un juge entendra votre cause et déterminera s'il a des motifs suffisants de croire que votre proche représente un danger pour lui-même ou pour les autres. Si c'est le cas, il signera une ordonnance d'examen psychiatrique. Cette ordonnance oblige votre proche à se présenter à un psychiatre afin que celui-ci fasse une évaluation psychiatrique, et cela contre son gré si nécessaire, ce qui signifie avec l'aide des policiers et des ambulanciers.

APPLICATION DE L'ORDONNANCE : Vous devez vous rendre avec cette ordonnance au poste de police situé le plus près du domicile habituel de votre proche. Les policiers vous aideront alors dans la suite des procédures. Dans tous les cas, vous devrez vous rendre à l'hôpital car le psychiatre et son équipe demanderont à rencontrer les proches qui ont fait la demande d'examen psychiatrique. C'est l'occasion d'exprimer vos inquiétudes. C'est souvent un moment très éprouvant pour les familles. Rappelez-vous que vous faites cette démarche pour le bien de votre proche, même si celui-ci ne voit pas les choses de cette façon. Vous n'aurez pas nécessairement à rencontrer le psychiatre en présence de votre proche pour expliquer la situation même si, dans certains hôpitaux, c'est une pratique courante. Sur le plan thérapeutique, il est très utile, pour votre proche, d'entendre de vive voix ce qui lui est reproché.

L'EXAMEN PSYCHIATRIQUE : L'ordonnance d'examen psychiatrique oblige votre proche à se rendre devant un psychiatre pour passer un examen psychiatrique, c'est tout. La suite des événements dépend seulement du psychiatre qui évaluera votre proche. Celui-ci, en tenant compte des faits présentés dans l'ordonnance, de l'opinion professionnelle qu'il se fait lors de l'entrevue avec votre proche, des informations qu'il obtient de la famille, évaluera l'état mental de votre proche, les conséquences possibles de son état ainsi que la dangerosité qu'il représente pour lui-même ou pour la société. Suite à cette évaluation, le psychiatre établira un diagnostic s'il y a lieu et fera son rapport. Il déterminera également de quel type d'aide votre proche a besoin et en discutera avec lui. S'il décide de le garder à l'hôpital contre son gré, le psychiatre effectuera les démarches légales nécessaires.

Que puis-je faire lorsque je crois que mon proche représente un danger pour lui-même ou pour autrui et qu'il ne consent pas à demander de l'aide?

Il est évidemment toujours préférable que votre proche collabore et consente à ce que vous l'accompagniez dans un établissement de santé mais, dans le cas contraire, vous devez dans un premier temps établir le niveau d'urgence de la situation. Si certaines situations sont claires, il est en revanche parfois très difficile de distinguer ce qui demande une intervention immédiate de ce qui demande une intervention rapide. Si vous avez des doutes, n'hésitez pas à appeler les policiers en composant le 911, ils sont là pour vous aider et ils détermineront avec vous la meilleure stratégie à adopter selon la situation de votre proche mais aussi selon les lois qu'il est possible d'appliquer.

SITUATIONS QUI DEMANDENT UNE **INTERVENTION IMMÉDIATE**

Le danger est en train de se produire.

Exemples :

- Votre proche sort de la maison en courant en disant qu'il s'en va se jeter devant le métro ou qu'il s'en va faire la peau à son avocat.
- Votre proche est enfermé dans la salle de bain, vous l'entendez ouvrir des bouteilles de médicaments et il refuse de vous répondre.
- Votre proche ne répond à personne ni à la porte ni au téléphone depuis plusieurs jours et tout semble silencieux dans la maison.
- Votre proche frappe dans les murs, hurle, son regard est bizarre et il ne se calme pas comme d'habitude.

911

SITUATIONS QUI DEMANDENT UNE **INTERVENTION RAPIDE**

Votre proche n'est pas en danger dans les minutes qui suivent mais sa situation est grave et il se met en danger.

Exemples :

- Votre proche est enfermé dans sa chambre depuis 4 jours sans boire ni manger.
- Votre proche est isolé dans le sous-sol, il semble parler seul la nuit, il dort le jour, il mange peu.
- Votre proche parle de se suicider d'ici un mois, il refuse toute aide, il semble perturbé et ne va plus travailler.
- Votre proche déclare soudainement que des micros sont cachés dans sa maison, il a coupé les fils électriques et téléphoniques pour ne pas « être contaminé ».

Vous pouvez demander une **ordonnance d'examen psychiatrique** seul, avec l'aide d'une association de parents ou avec l'aide du CLSC.

chapitre 7

Les difficiles questions du suicide et de l'automutilation

Votre proche a peut-être déjà exprimé des idées suicidaires, fait des tentatives de suicide ou bien posé des gestes d'automutilation. Le présent chapitre a pour but de vous éclairer sur ces comportements risqués pour votre proche et perturbateurs pour vous. Le suicide et l'automutilation sont deux phénomènes tout à fait différents qui ne s'expliquent pas de la même façon et qui ne demandent pas le même type d'intervention. Nous les traiterons donc séparément.

Le suicide

MARJORIE

« Si vous saviez le nombre de nuits blanches que j'ai passées à me demander si ma sœur ne s'était pas suicidée ! C'est terrible... Il y a eu une période où je ne regardais même plus le journal le matin, parce que j'avais trop peur de voir sa face en première page. L'enfer. Quand je lui parlais, je pesais chacun de mes mots de peur de la contrarier et qu'elle s'énerve. À un moment donné, je me suis dit que j'allais arrêter de l'appeler, parce que c'était trop stressant, que je ne savais pas quoi lui dire et que j'avais l'impression de provoquer ses crises... Là, évidemment, elle s'est fâchée parce que je ne l'appelais plus. Elle m'a laissé un

message me disant que je l'avais abandonnée, que personne ne l'aimait et que ça ne me dérangerait même pas si elle mourrait... ! »

Amélie, sa sœur

Que se passe-t-il à l'hôpital lorsque mon proche y est amené parce qu'il a des idées suicidaires ou qu'il a fait une tentative de suicide?

Dans tous les cas, votre proche est évalué par un médecin généraliste qui, dans un premier temps, s'assure que les soins physiques nécessaires lui sont donnés. La plupart du temps, il est ensuite rencontré par un psychiatre qui, avec l'aide de son équipe (travailleuse sociale, infirmière), évaluera sa santé mentale, le risque de suicide et les soins dont il a besoin. À cette étape, il est primordial que la famille soit rencontrée, d'une part pour mieux comprendre la situation, d'autre part pour lui donner informations et soutien. Si ce n'est pas le cas, insistez pour rencontrer au moins un membre de l'équipe. C'est un service auquel vous avez droit. Il peut arriver que votre proche refuse que les professionnels vous ▶

Dans un premier temps, il est essentiel de bien comprendre qu'il existe plusieurs raisons pour lesquelles les êtres humains pensent au suicide. Des motifs politiques, comme ceux que l'on retrouve chez les kamikazes, peuvent être à l'origine d'un suicide. D'autre part, plusieurs pathologies psychiatriques comme la schizophrénie et la dépression majeure peuvent se cacher derrière le suicide. Des traits de personnalité, tels que l'impulsivité, l'agressivité et l'hypersensibilité affective sont également associés à la question du suicide. Même si les interventions à privilégier par les proches sont le plus souvent les mêmes, les motifs pour lesquels un individu veut mourir ou fait une tentative de suicide varient énormément et sont en fait très complexes. Le but de cet ouvrage n'est pas de traiter de la question du suicide dans son ensemble – d'autres s'y consacrent – mais bien de vous aider à mieux vivre avec un proche suicidaire.

Chez les personnes impulsives, intenses et instables émotionnellement, on retrouve fréquemment des idées suicidaires. En fait, chez les individus dont certains des traits de personnalité sont si problématiques qu'ils ont un trouble de personnalité limite tel que défini au chapitre 1, la répétition de comportements ou de gestes suicidaires ou de menaces de suicide est même un critère qui aide à poser le diagnostic. Les statistiques parlent d'elles-mêmes : il est rapporté dans les recherches scientifiques que 75 % des personnes atteintes du trouble de personnalité limite feront au moins une tentative de suicide dans leur vie, la moyenne étant de trois à quatre tentatives au cours de leur vie. Certains n'en feront aucune alors que d'autres en feront plusieurs. Votre proche peut donc ne jamais avoir d'idées suicidaires et pourtant être impulsif, intense et instable. Dans la population en général, 1 % des gens meurent par suicide tandis que pour les personnes qui présentent ce trouble, le taux grimpe à 9 %, ce qui est très élevé. Le suicide est la première cause de décès chez ces personnes qui ont des comportements impulsifs. Les moyens utilisés sont variables : intoxication avec des médicaments, de l'alcool, des drogues ou au monoxyde de carbone, par pendaison ou encore une conduite automobile dangereuse. C'est donc un problème qu'il faut prendre au sérieux, qu'il ne faut pas gérer seul et qui demande beaucoup de soutien pour votre proche, mais également pour vous-même.

La tentative de suicide peut aussi être comprise comme un appel à l'aide, un signal de détresse. Votre proche ne souhaite pas toujours mettre fin à ses jours, mais plutôt mettre fin à des souffrances qu'il considère comme insoutenables. Les causes sont multiples, mais fréquemment reliées à sa perception des blessures psychologiques,

▶

parlent de sa situation, ce qui doit être respecté en vertu des règles de confidentialité. Dans ce cas, rien ne vous empêche de communiquer les informations que vous jugez pertinentes, verbalement ou par écrit. C'est une situation difficile qui pose problème autant aux familles qu'aux équipes traitantes.

Suite à l'évaluation, le médecin décidera de la meilleure façon d'aider son patient. Généralement, chez les individus ayant une personnalité difficile, la reprise du contrôle des émotions se fait assez rapidement et votre proche peut recevoir son congé médical lorsqu'il a suffisamment rassuré le médecin sur ses intentions. Tous ses problèmes ne sont pas alors réglés, bien au contraire, mais plusieurs recherches ont démontré qu'il est déconseillé de garder à l'hôpital pendant plus de 24 à 48 heures les individus qui ont principalement des troubles de personnalité. En effet, ce milieu protégé les incite à fuir leurs problèmes et ne les encourage pas à prendre leurs

▶

▶

responsabilités. D'autres types d'encadrement, comme l'hôpital de jour, un suivi en clinique externe ou un hébergement dans un centre de crise sont souvent privilégiés. Informez-vous des services disponibles dans votre région et n'hésitez pas à faire part de vos inquiétudes au personnel.

réelles ou non, du présent ou du passé (deuil, séparation, pertes, rejets, conflits, abus). Les idées suicidaires surviennent souvent en réaction à ce qui se passe dans une relation où votre proche craint d'être abandonné.

Si votre proche a déjà fait des tentatives de suicide ou qu'il menace d'en faire, vous êtes probablement très inquiet. Vivre avec un proche suicidaire, c'est souvent se sentir responsable des gestes qu'il pourrait poser. Avoir l'impression de tenir la vie d'une autre personne entre ses mains est très lourd à porter! Vous pouvez également avoir le sentiment d'être pris en otage par votre proche, en raison des menaces qu'il vous fait.

Louis, conjoint de Maryse, connaît bien cette impression. Maryse, graphiste de 31 ans, présente depuis longtemps des traits de personnalité difficile. La première fois qu'elle a parlé de suicide remonte à ses 16 ans, à l'occasion d'une rupture amoureuse. Il s'est passé beaucoup de choses dans sa vie depuis. Elle a terminé ses études et est beaucoup plus stable depuis qu'elle a rencontré Louis, il y a trois ans. Malgré cela, pour Louis, les choses sont de plus en plus difficiles. Il est très attaché à Maryse, mais ses explosions de colère, son impulsivité et ses sautes d'humeur minent leur relation. Il a de la difficulté à lui exprimer ce qu'il vit, il craint ses débordements et pense de plus en plus à mettre fin à leur union. Il se sent pourtant responsable d'elle, il sait qu'elle a besoin de lui et que ce sera dramatique s'il la quitte. Maryse, comme une éponge, absorbe l'incertitude non exprimée qui s'installe entre elle et Louis et la ressent. Elle devient de plus en plus inquiète et est envahie par la peur d'être abandonnée. Elle a moins de contrôle sur ses émotions, ce qui envenime d'autant plus sa relation avec Louis. Maryse devient alors si instable qu'elle n'arrive plus à gérer les difficultés au bureau et, en quelques jours, son état se détériore tellement que son médecin de famille acquiesce à sa demande de la mettre en congé de maladie. Maryse attend donc toute la journée Louis qui, de son côté, retarde son retour à la maison, prétextant une surcharge de travail parce qu'il sait très bien que la soirée sera explosive.

La tentative de suicide peut être comprise comme un appel à l'aide. Votre proche ne souhaite pas toujours mettre fin à ses jours, mais plutôt mettre fin à sa souffrance.

Louis décide alors de laisser Maryse. Celle-ci, instantanément, le somme de ne pas faire cela : « Tu es le seul qui puisse m'aider, je me suicide si tu t'en vas… » Louis est alors lui-même paralysé par la peur qu'elle passe à l'acte, sachant qu'elle l'a déjà fait, et décide de rester.

Cette situation est fréquente. Sachez d'abord que vous n'êtes pas seul à la vivre. Les menaces de suicide sont pénibles pour les proches et les émotions qu'elles suscitent les rendent extrêmement difficiles à gérer. En fait, il est presque impossible pour les proches de passer à travers cette épreuve sans soutien. La question du suicide est encore taboue dans notre société et il est certainement difficile pour vous de demander de l'aide et de briser le silence. Surtout, ne restez pas seul et isolé avec vos inquiétudes et vos peurs. Allez chercher de l'aide pour vous-même afin de vous préserver et d'éviter d'y laisser votre santé mentale et physique.

Il est possible que votre proche ait une « tendance chronique au suicide », c'est-à-dire qu'au cours de sa vie, il utilise régulièrement les menaces ou les gestes suicidaires en cas de crise. C'est d'autant plus lourd pour l'entourage et une concertation avec les professionnels qui tentent d'aider votre proche est alors essentielle.

Comme nous l'avons vu, il est possible également qu'un jour, votre proche décède par suicide. Il aura voulu mettre définitivement fin à ses souffrances ou sera décédé accidentellement en évaluant mal les risques qu'il prenait, par exemple, en ingérant certains médicaments plus nocifs qu'il le croyait ou en se fiant à votre heure habituelle de retour à la maison, prévoyant que vous iriez alors appeler les secours. C'est un peu comme jouer à la roulette russe ! D'autres se tuent à petit feu, par une consommation de drogues dures et des conduites à risque, comme la prostitution. Dans ces circonstances tragiques, vous avez besoin d'aide, de soutien, d'oreilles attentives et d'épaules réconfortantes. Les sentiments de honte, de culpabilité et d'impuissance peuvent venir détruire votre propre vie à son tour. Des ressources spécialisées d'entraide existent si votre entourage ne suffit pas à vous aider. Une aide professionnelle et expérimentée dans ces situations est souvent bénéfique et peut vous aider à traverser cette épreuve et à prendre conscience que vous n'êtes pas seul. D'autres avant vous ont vécu la même chose et peuvent vous accompagner dans votre chagrin, dans lequel temps et entraide sont vos meilleurs alliés.

CAPSULE LÉGALE

La garde en établissement

Dans des cas EXCEPTIONNELS, le psychiatre peut entreprendre une démarche légale pour garder votre proche à l'hôpital contre son gré si celui-ci représente un danger imminent pour lui-même ou pour les autres. Cette procédure ne s'applique que dans des cas extrêmes et le psychiatre, aidé par l'avocat de l'hôpital, doit démontrer à un juge que votre proche est dangereux. De son côté, votre proche a le droit de se défendre et d'expliquer au juge pourquoi il ne se croit pas dangereux. Si le juge est d'accord avec l'évaluation des psychiatres (votre proche doit avoir été évalué par deux psychiatres), il ordonnera que votre proche soit en GARDE EN ÉTABLISSEMENT. Ce terme signifie que votre proche doit rester à l'hôpital contre son gré. C'est tout. Cette procédure ne l'oblige en rien à suivre les traitements prescrits, comme de prendre des médicaments ou de collaborer à des entrevues avec l'équipe traitante. Cette ordonnance est émise pour une durée précise qui est habituellement de 7, 14 ou 21 jours, selon la gravité de la situation. À tout moment, si l'état de votre proche s'améliore, qu'il collabore et qu'il ne présente plus un danger imminent, la garde en établissement peut être levée par le psychiatre qui fera alors un rapport au juge expliquant pourquoi la garde n'est plus nécessaire. D'un autre côté, si votre proche ne collabore pas, s'il continue de présenter un état mental qui le rend dangereux pour lui-même ou pour les autres, la garde peut être renouvelée à la demande des psychiatres.

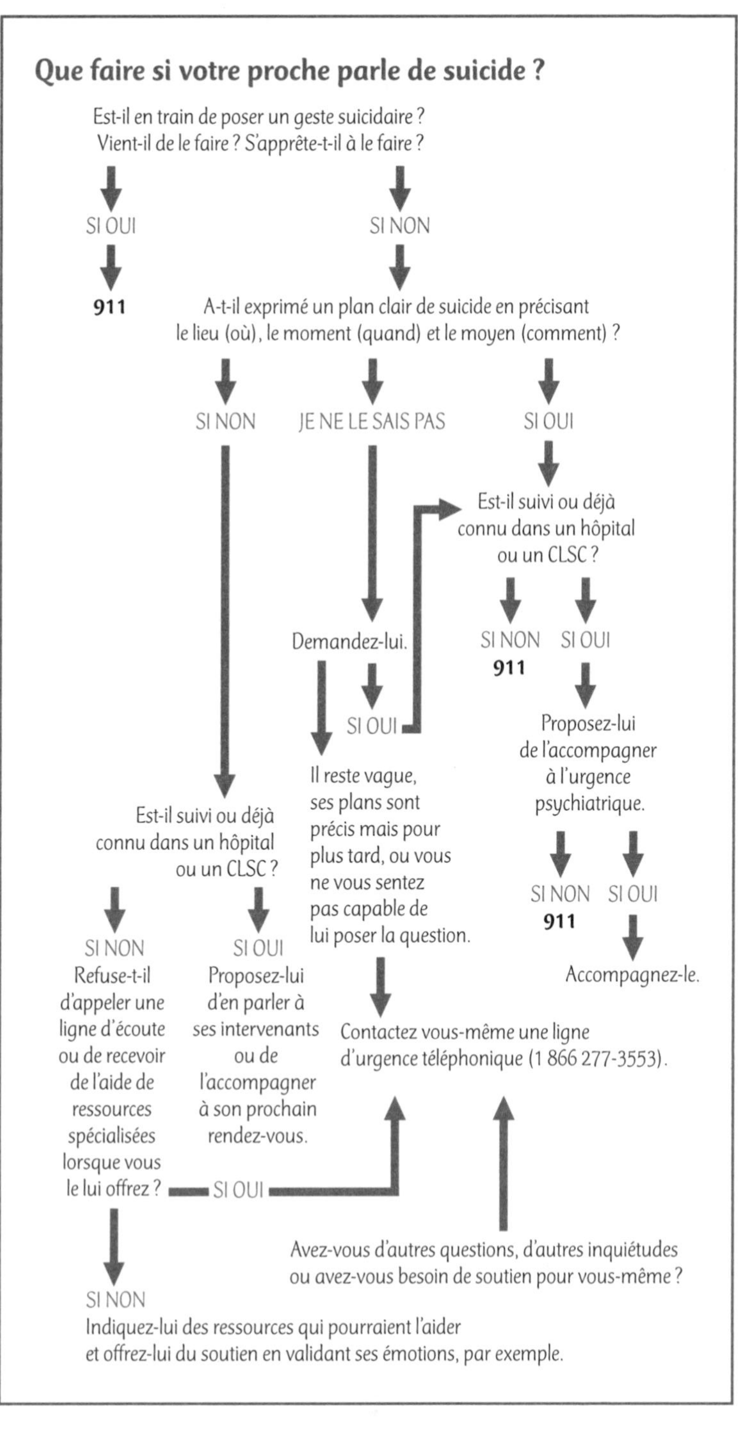
Que faire si votre proche parle de suicide ?
Est-il en train de poser un geste suicidaire ?
Vient-il de le faire ? S'apprête-t-il à le faire ?
SI OUI
911
SI NON
A-t-il exprimé un plan clair de suicide en précisant
le lieu (où), le moment (quand) et le moyen (comment) ?
SI NON
JE NE LE SAIS PAS
SI OUI
Est-il suivi ou déjà
connu dans un hôpital
ou un CLSC ?
SI NON
911
SI OUI
Proposez-lui
de l'accompagner
à l'urgence
psychiatrique.
SI NON
911
SI OUI
Accompagnez-le.
Demandez-lui.
SI OUI
Il reste vague,
ses plans sont
précis mais pour
plus tard, ou vous
ne vous sentez
pas capable de
lui poser la question.
Contactez vous-même une ligne
d'urgence téléphonique (1 866 277-3553).
Est-il suivi ou déjà
connu dans un hôpital
ou un CLSC ?
SI NON
Refuse-t-il
d'appeler une
ligne d'écoute
ou de recevoir
de l'aide de
ressources
spécialisées
lorsque vous
le lui offrez ?
SI OUI
SI OUI
Proposez-lui
d'en parler à
ses intervenants
ou de
l'accompagner
à son prochain
rendez-vous.
Avez-vous d'autres questions, d'autres inquiétudes
ou avez-vous besoin de soutien pour vous-même ?
SI NON
Indiquez-lui des ressources qui pourraient l'aider
et offrez-lui du soutien en validant ses émotions, par exemple.

CAPSULE LÉGALE

Le refus de traitement en santé mentale

Toute personne peut refuser d'être gardée à l'hôpital contre son gré, à moins d'exceptions particulières, par exemple avoir été le sujet d'une « garde en établissement ». Votre proche peut donc quitter l'hôpital contre avis médical en signant avant son départ un formulaire prévu à cet effet. On dit alors qu'il signe un refus de traitement. Plusieurs raisons peuvent motiver une telle décision. Il peut être insatisfait des services offerts ou encore croire qu'il n'en a pas besoin. Comme vous, l'équipe traitante est bien impuissante face à ce geste. Si vous n'êtes pas d'accord avec cette décision, il est important d'exprimer votre point de vue à votre proche. Vous pouvez aussi lui faire comprendre que vous ne pouvez l'aider à la place des professionnels. Plusieurs patients qui signent un refus de traitement ont tendance à se tourner alors vers leur famille et leurs amis pour demander de l'aide. Ceux-ci peuvent alors se retrouver à supporter tout le poids de la situation. Si vous n'êtes pas d'accord avec les motifs du refus de traitement de votre proche, ne vous substituez pas aux services professionnels qu'il a refusé de recevoir et rappelez-lui votre impuissance à l'aider. Si votre proche ou vous-même n'avez pas été satisfaits des soins reçus, sachez que chaque établissement a instauré une procédure sérieuse pour recevoir et traiter les plaintes de sa clientèle.

L'automutilation

L'automutilation, comportement que l'on retrouve le plus souvent chez les femmes, consiste à se blesser volontairement. Il existe plusieurs sortes de blessures : des coupures, habituellement superficielles, des brûlures avec des mégots de cigarettes, etc. Ces blessures sont généralement infligées sur les membres. Parfois, le geste d'automutilation consiste à se frapper la tête, à s'arracher les cheveux ou à se gratter incessamment le visage. Ce que l'automutilation a en commun avec la problématique du suicide est que votre proche s'en prend à lui-même. Par contre, dans les faits, c'est un phénomène très différent. Dans le cas de l'automutilation, même si la personne se blesse, elle ne met pas sa vie en danger et les gestes qu'elle pose ne sont pas fatals. En fait, toute la différence réside dans l'intention de votre proche. Lorsqu'il se mutile, son intention n'est ni de mourir, ni de se soulager définitivement des souffrances qu'il vit. Trois motivations, le plus souvent inconscientes, sont généralement au cœur des comportements d'automutilation : faire baisser le sentiment de tension intérieure, se punir et faire réagir l'entourage.

Votre proche peut se mutiler pour faire baisser la tension intérieure. Plusieurs personnes ressentent cette tension comme une douleur intense à l'intérieur d'elles-mêmes, parfois aussi comme une boule d'angoisse. D'autres expliquent qu'elles ressentent une brûlure intérieure très douloureuse. S'infliger une blessure sur le corps permet alors à votre proche de concrétiser sa souffrance en une marque tangible, visible et sur laquelle il peut exercer son contrôle, contrairement aux émotions difficiles. La sensation même de douleur physique leur permet de reprendre leurs esprits, un peu comme si le mal physique faisait oublier momentanément la douleur psychologique. Votre proche se libère ainsi d'une grande tension. Plusieurs décrivent qu'ils sont alors dans un état second, un peu comme s'ils flottaient.

À d'autres moments, l'automutilation est une façon de se punir. Votre proche a probablement une très faible estime de lui. En se blessant, il se punit en se disant des phrases telles que : « Je ne suis pas une bonne personne! », « Je mérite ce qui m'arrive! » ou « Je dois souffrir... » Sur le plan psychologique, l'automutilation est complexe, et ses causes le sont aussi. Une personne qui se mutile est une personne en détresse qui utilise les moyens qu'elle connaît et qui ont été efficaces par le passé pour se soulager.

Enfin, il peut arriver que, dans le passé, les gestes d'automutilation aient suscité dans son entourage des réactions que votre proche veut voir se reproduire, telles qu'une plus grande attention à son égard ou le report de certaines exigences. Dans ce cas, votre proche aura tendance à réutiliser ce moyen afin d'obtenir les mêmes résultats.

« Je ne comprends vraiment pas ce qui se passe dans la tête de ma blonde quand elle se met à se couper comme ça. Ça me dépasse! Comment une fille intelligente comme elle peut-elle volontairement se blesser et se sentir soulagée de voir son sang couler. C'est incroyable! Je vois bien qu'elle souffre. Elle est comme dans sa bulle dans ces moments-là, un peu dans un état second. Elle est inaccessible et je me sens tellement impuissant... »

Frédéric, son conjoint

MAGALIE

L'automutilation est souvent un comportement choquant et incompréhensible pour l'entourage. Voir son proche se faire du mal délibérément en se frappant, se brûlant, se griffant ou se coupant peut vous plonger brutalement dans une scène de cauchemar. Il est normal que, comme Frédéric, vous réagissiez à la vue des égratignures, du sang et des plaies.

Les stratégies à privilégier pour vous aider vous-même et pour soutenir votre proche sont les suivantes :

Assurez-vous que votre proche n'a pas besoin de soins médicaux. Généralement, les blessures infligées sont superficielles. Dans certains cas, pourtant, elles peuvent nécessiter des premiers soins comme une désinfection ou des points de suture. Demandez à votre proche de faire le nécessaire pour obtenir ces soins si la situation ne vous semble pas urgente. En cas d'inquiétude ou d'incertitude, vous pouvez contacter Info-santé qui vous aidera à mieux évaluer la gravité et l'urgence de la situation.

Validez la souffrance et non le geste d'automutilation en utilisant les stratégies proposées au chapitre précédent et le type de phrases suivantes : « Tu dois beaucoup souffrir pour te blesser ainsi », « Ça doit te faire très mal, à l'intérieur », « J'ai l'impression que c'est ta façon de demander de l'aide. »

Ne dramatisez pas le geste posé, cela contribuerait à augmenter l'intensité des émotions chez votre proche, ce qu'il faut éviter à tout prix. De la même façon, si vous formulez un jugement sévère sur le geste posé, le retour au calme risque d'être plus long. Votre but n'est pas d'amplifier le comportement, ce que le fait de juger pourrait faire. Plus tard, vous pourrez lui expliquer l'impact qu'ont ces comportements sur vous. Par exemple, si vous avez peur, si vous vous sentez inquiet ou triste, il faut le lui faire savoir. Ainsi, votre proche saura que vous tenez à lui et se sentira compris dans sa souffrance. Il faut pourtant éviter de laisser libre cours à vos propres réactions, qui peuvent être intenses, devant votre proche. Par contre, vous pouvez, en discutant avec une personne de votre entourage en qui vous avez confiance, laisser libre cours à vos émotions face à ce qui est arrivé.

N'ignorez pas le comportement de votre proche. Il risquerait alors de ne pas se sentir entendu dans l'expression de sa souffrance et pourrait utiliser d'autres moyens pour se faire entendre. C'est tout un défi pour les proches de trouver un équilibre entre reconnaître le geste, en parler et ne pas le dramatiser !

Responsabilisez votre proche en vous assurant, par exemple, qu'il prenne conscience que d'autres personnes vulnérables dans son entourage, comme des enfants ou des frères et sœurs, ne doivent pas être exposées à ses gestes. Si elles le sont, sensibilisez votre proche à l'impact que ses comportements ont sur les autres. S'il fait le choix de s'automutiler, il doit prendre les mesures nécessaires pour ne pas traumatiser son entourage.

Encouragez votre proche à se faire aider par des professionnels afin qu'il développe d'autres moyens moins destructeurs de soulager ses grandes tensions internes et allez chercher de l'aide pour vous.

En conclusion, plus vous essayez d'empêcher votre proche de poser des gestes suicidaires ou d'automutilation, plus il risque de chercher à déjouer votre surveillance. La gravité des gestes qu'il pose risque aussi d'augmenter. Rappelez-vous que votre proche est la seule personne qui soit réellement capable de prendre les moyens nécessaires pour assurer sa protection. Votre rôle est de l'accompagner, de le soutenir dans ses démarches et ce, selon vos capacités, votre volonté et vos limites personnelles.

chapitre 8

La spécificité du lien

Dès les premières lignes de ce livre, nous avons tenté de tenir compte de l'ensemble des situations familiales et, en effet, la majorité des notions et des stratégies que nous avons abordées s'appliquent à tous. Pourtant, chaque situation est unique et il nous semble opportun de consacrer quelques pages aux défis spécifiques que vous avez à relever, que vous soyez parent, enfant, sœur, frère ou conjoint de votre proche.

C'est votre fils ou votre fille

S'outiller pour mieux gérer vos émotions

Vous vivez probablement beaucoup de déception, d'inquiétude et d'angoisse relativement à ce qui se passe actuellement dans la vie de votre enfant devenu adulte. Vous avez sûrement souhaité pour lui ce qu'il y avait de mieux et, maintenant, il ne semble pas prendre sa vie en main. Vous vous demandez probablement ce que vous avez fait pour que ce soit ainsi. Vous avez cherché dans le passé ce qui a

pu nuire ainsi à votre fils ou votre fille. Rappelez-vous que nous avons vu qu'une combinaison de plusieurs facteurs pouvait expliquer pourquoi certains avaient une personnalité difficile. Dans l'état actuel des connaissances, aucun spécialiste ne peut vous dire si tel événement ou telle attitude de votre part a causé les problèmes de votre enfant.

Votre relation avec votre enfant est probablement difficile depuis longtemps. C'est normal. Votre proche éprouve des difficultés dans ses relations avec les autres et vous avez été son premier interlocuteur. Vous avez sûrement tenté aussi bien que possible de vous adapter à lui. Essais, erreurs, réussites ont dû se succéder. Ensemble, vous avez une longue histoire mouvementée. Si c'était à recommencer, vous feriez certainement certaines choses différemment (c'est ce qu'on appelle l'expérience!), mais maintenant, il est inutile de vous faire davantage de tort en vous culpabilisant. Peut-être n'avez-vous pas eu vous-même la vie facile et il est possible que vous traîniez dans votre sac à dos vos propres blessures d'enfant et vos traumatismes. Malgré tout, vous avez fait du mieux que vous avez pu. La meilleure option qui s'offre désormais à vous est de canaliser vos énergies sur ce qui se passe maintenant et sur la manière dont les choses peuvent s'améliorer. Le fait que vous teniez ce livre entre vos mains est déjà une preuve que vous êtes prêt à vous investir pour mieux vivre avec votre

Le processus de deuil

Le mot *deuil* est souvent associé à la mort, mais on utilise aussi l'expression *processus de deuil* pour illustrer le cheminement que l'on doit suivre lorsqu'on est confronté à une perte, quelle qu'elle soit. Il existe plusieurs types de pertes : la perte d'un emploi, la perte d'un être cher ou encore la diminution de ses capacités physiques lors d'une maladie. Il y a aussi la perte d'un idéal, celui de l'enfant parfait que l'on avait souhaité, par exemple, ou celui tout simplement de l'enfant devenu un adulte autonome, responsable, mature et heureux. Vous avez probablement perdu depuis longtemps vos illusions face à votre enfant. Votre défi est de l'accepter comme il est, avec ses particularités, sa détresse, son intensité et ses difficultés. Lors de témoignages, plusieurs parents ont mentionné que ce processus long et douloureux leur a permis de mieux vivre avec la réalité de leur enfant et de prendre une saine distance : « *Je lui ai donné la vie, mais maintenant c'est SA vie, pas la mienne. Je* ►

enfant. Réfléchir au type de relation que vous avez avec lui est courageux et louable. Cette démarche suscitera nécessairement des remises en question mais essayez de vous concentrer sur le présent tout en vous préparant pour l'avenir.

Les émotions que vous vivez sont intenses. Il peut arriver que votre enfant vous méprise, vous rejette ou, au contraire, vous envahisse et vous tyrannise. Dans les groupes d'entraide, certains parents parlent de leur problème d'être trop sollicités par leur fils ou leur fille, un peu comme les parents de Thomas qui n'ont plus la paix chez eux. D'autres, à l'opposé, souffrent de l'éloignement, de ne pas avoir eu de nouvelles de leur enfant depuis des semaines sachant qu'ils ont des problèmes, qu'ils sont démunis financièrement ou qu'ils ont des comportements à risque. C'est un peu comme s'il n'y avait pas de juste milieu entre les deux : trop de distance ou pas assez. D'autres encore vont bien durant de longues années, puis c'est la catastrophe. Vous devez trouver des stratégies pour gérer vos propres émotions, pour trouver la zone de confort entre l'amour que vous portez à votre enfant et la nécessité de vous distancier de lui pour vous protéger. C'est tout un défi pour un parent ! Allez chercher de l'aide auprès de votre entourage, auprès des professionnels ou bien de groupes d'entraide pour vous aider à le relever. Vous reprendrez ainsi confiance en vous, en vos moyens d'améliorer vos conditions

►

suis responsable de mon bonheur, c'est mon enfant et je l'aime, mais j'ai enfin compris que ma volonté de mère avait des limites. Je serai toujours là pour lui, mais plus à n'importe quelle condition… »

de vie et dans le pouvoir que vous avez d'exercer une influence positive sur la relation que vous entretenez avec votre enfant.

Accepter le fait que vous n'avez plus le contrôle de sa vie

Autrefois, vous pouviez décider des vêtements qu'il allait porter, de l'école qu'il allait fréquenter et des cours auxquels il pouvait s'inscrire. Maintenant qu'il a grandi, la situation est bien différente et c'est un des plus grands défis des parents de laisser les oisillons s'envoler du nid familial. Le vôtre a des plumes en moins sur les ailes. Il vous est d'autant plus difficile de le laisser partir, et il est normal que vous vouliez que tout se passe le mieux possible pour lui. Vous pouvez avoir tendance à le couver plus que les autres et à lui en passer davantage. Vous savez qu'il a des difficultés et, la plupart du temps, vous avez même sans doute une bonne idée de ce qu'il pourrait faire pour améliorer sa qualité de vie. Pourtant, c'est maintenant lui qui a le contrôle de sa vie et, étant majeur, il est libre de faire ses choix d'adulte et de décider pour lui-même. C'est ainsi qu'en a décidé notre société qui a statué sur l'âge où l'adolescent devient responsable de ses actes. Évidemment, la maturité n'est pas atteinte instantanément le jour de son dix-huitième anniversaire ! Et vous pouvez, avec raison, parfois douter de sa volonté ou de ses capacités à prendre les bonnes décisions, mais votre confiance en lui, malgré ses difficultés, favorisera une

Votre enfant a besoin de sentir que vous croyez en ses capacités. Une des bonnes façons de lui faire sentir que vous avez confiance en lui est de le responsabiliser face à sa propre vie et aux gestes qu'il pose.

meilleure évolution. C'est un peu paradoxal car vous avez de bonnes et nombreuses raisons de ne pas lui faire confiance et vous souvenez encore de moments où il a trahi votre confiance. Malgré cela, votre proche a besoin de sentir qu'on croit en ses capacités. Une des façons de lui faire sentir que vous avez confiance en lui est de le responsabiliser face à sa propre vie et aux gestes qu'il pose et de ne pas le surprotéger, ce qui l'infantilise et contribue à diminuer sa confiance en lui-même. Gardez en tête que vous ne serez pas toujours là pour lui éviter les pots cassés et que vous devez favoriser son cheminement vers l'autonomie, aussi difficile soit-il. Le responsabiliser est le meilleur moyen d'y parvenir et le plus tôt est souvent le mieux.

JOANNE

« Depuis le primaire, les choses sont difficiles avec ma fille, Joanne. Avec elle, les petits malheurs ont toujours été des drames. Au secondaire, il a fallu la changer d'école à chaque année. Elle était instable dans ses efforts pour étudier, mais surtout dans ses comportements. L'école privée était trop stricte pour elle et, au public, elle faisait ce qu'elle voulait, ce qui était pire... Ce n'est pas qu'elle n'était pas intelligente, au contraire, mais il fallait toujours que je la tempère. Pourtant, j'ai agi de manière égale avec mes trois enfants et j'ai donné le meilleur de moi-même à chacun d'eux. Elle a réussi à obtenir un diplôme dans une école spécialisée mais, franchement, elle n'a jamais été capable de travailler. Elle est trop compliquée. Ce qui me fait le plus de peine c'est que, maintenant, la famille est éclatée. Avec elle, c'est certain que "réunion de famille" signifie "dispute". Elle choque tout le monde. Elle réinterprète tout ce qui se passe comme si c'était contre elle. Elle se fâche, part en plein milieu du repas... Elle est jalouse de ses sœurs. D'ailleurs, ses soeurs n'en

peuvent plus de ses hauts et ses bas. Toute la famille est brisée. J'ai de la peine. Ça n'a pas de bon sens, tout ce qui lui arrive. J'aurais tellement voulu l'aider et, surtout, aider mes deux petits-enfants. Ils ont été placés en famille d'accueil par la DPJ. C'est à peu près le pire qui puisse arriver à une grand-mère, mais j'ai dû l'accepter, comme le reste. Je suis la seule personne, maintenant, sur laquelle elle puisse compter, il ne reste personne d'autre dans sa vie. La fréquence à laquelle je la vois, maintenant, c'est une fois par semaine. C'est ça, ma limite. Ça a été long, avant que je finisse par réussir à me protéger : il a fallu que j'aille en thérapie pour moi-même, pour m'aider à accepter. Je n'ai pas suivi de cours en psychologie mais, maintenant, il y a des choses que je comprends. »

Anita, sa mère et grand-mère

C'est votre ado

Si votre enfant est encore un adolescent, les règles du jeu sont bien différentes. Votre jeune ne peut impunément faire ce qui lui chante, sans quoi il risque d'être pris en charge par la « protection de la jeunesse ». Les mesures coercitives ont l'avantage de clarifier les limites que votre adolescent ne peut dépasser et de lui donner accès à des services médicaux et sociaux spécialisés. Votre défi est alors de vous entendre avec les intervenants qui travaillent avec votre jeune pour unir vos forces et de vous préparer au jour de ses 18 ans, où il ne pourra plus être sous la juridiction de la protection de la jeunesse.

Votre jeune est en train de développer sa personnalité, et la crise d'adolescence peut n'être qu'une transition difficile qui n'est pas automatiquement un signe qu'il deviendra un adulte souffrant de troubles relationnels. Plusieurs ouvrages spécialisés ont été écrits au sujet des problèmes spécifiques de cette période de la vie. Il existe aussi de

►

Lâcher prise

« Lâcher prise » est une expression que vous avez sûrement déjà entendue. C'est tout un défi à relever. En mettant vos limites, en vous faisant respecter, en prenant une saine distance, en vous informant, en allant chercher du soutien et, surtout, en faisant le deuil de l'enfant que vous avez souhaité, vous pouvez y arriver. Ce processus peut être plus ou moins long selon les circonstances, selon votre propre personnalité et selon votre histoire personnelle. Le fait d'avoir ou non d'autres enfants entre aussi en ligne de compte.

C'est votre fils ou votre fille pour toujours. Certains traits de sa personnalité changeront peu au fil du temps. Il évoluera, aussi, sur d'autres aspects. La suite dépend maintenant beaucoup de vous, parce que, bien que vous n'ayez plus de pouvoir sur les choix de votre enfant et sur l'orientation qu'il veut donner à sa vie, vous en avez sur la vôtre, vous pouvez décider de ce qui est acceptable ou non pour vous et de ce que vous être prêt à faire ou non pour lui. Accepter de devoir mettre des limites, vos limites, en cheminant dans le processus de deuil est déjà un pas dans la bonne direction.

S'entendre en tant que couple

Une des grandes difficultés des couples qui ont un enfant difficile est de s'entendre sur la façon d'agir envers lui. Généralement, l'un est plus permissif et protecteur tandis que l'autre est plus strict et sévère. Il est vrai que cette caractéristique est commune à presque tous les couples qui élèvent des enfants. Mais chez les parents d'enfants qui ont des troubles relationnels, cette mésentente peut rapidement devenir un piège. En effet, nous avons vu que la base de l'intervention auprès de votre proche est de vous allier pour faire front commun devant l'intensité des émotions et des réactions de celui-ci. Si la discorde règne entre vous, il sera encore plus difficile de faire respecter vos limites. Si, dans votre couple, vous réussissez à vous faire confiance mutuellement, à être solidaires dans les décisions que vous prenez et à envoyer des messages clairs et sans ambiguïté à votre enfant, la situation va automatiquement s'améliorer. Malheureusement, les parents s'entredéchirent souvent. Ils sont eux-mêmes épuisés et envahis par leurs émotions, ce qui peut créer des tensions au

▶

nombreuses ressources visant à favoriser l'entraide entre parents d'adolescents difficiles et à diffuser les stratégies de résolution de problèmes propres à l'adolescence. Vous pouvez consulter votre CLSC pour connaître les ressources disponibles dans votre région.

sein du couple. Unissez-vous pour mieux affronter les difficultés et les chagrins. Vous partagez le même amour pour votre enfant et les objectifs de vos interventions sont probablement identiques. Ce sont les moyens d'y parvenir qui varient de l'un à l'autre.

Dans le cas de parents séparés ou divorcés, la situation est la même. Votre enfant, même devenu adulte, a besoin de recevoir les mêmes messages de tout le monde. L'éloignement physique ou psychologique, ainsi que l'histoire de votre vie de couple, peut compliquer la communication entre vous. Il est pourtant impératif de trouver des terrains d'entente entre vous en ce qui concerne votre enfant, sinon, il passera de l'un à l'autre, profitant de vos désaccords. Il vous connaît bien et sait quoi dire, quoi faire, quel sujet aborder, quelle corde effleurer pour vous toucher.

Si, pour une raison ou pour une autre, l'autre parent n'est pas ou plus impliqué, vous avez d'autant plus besoin de partager votre fardeau avec d'autres personnes de votre entourage en qui vous pouvez avoir confiance.

C'est votre père ou votre mère

Avoir un parent dont la santé mentale est chancelante est une grande épreuve pour un enfant. Nous savons à quel point un enfant est vulnérable et dépendant. Si votre père ou votre mère a une personnalité difficile, vous

La situation particulière des grands-parents

Il est probablement très déchirant pour vous de voir vos petits-enfants exposés à répétition à des situations conflictuelles, peut-être à des déménagements, à des relations instables et à l'imprévisibilité de leurs parents. Vous vous sentez très responsable de ces enfants, tout en ne sachant pas comment les aider sans prendre la place et assumer les responsabilités qui reviennent à leur mère ou leur père. Votre enfant, maintenant parent, se fie peut-être aussi beaucoup à vous pour assumer ses responsabilités parentales. Vous devez être partagé entre les limites à imposer à votre enfant et les besoins de vos petits-enfants. Cette situation est très difficile car vous êtes peut-être la seule personne sur qui les petits puissent compter. Lorsqu'il vous est possible d'être en relation avec ces enfants, il est primordial que vous leur offriez une stabilité et un climat de calme et de confiance, tout en respectant vos limites.

►

avez dû en subir les conséquences toute votre vie. Un parent impulsif, intense et instable est un parent qui peut avoir l'avantage d'être coloré mais aussi imprévisible et insécurisant. Nous avons vu que les individus ayant une personnalité difficile géraient mal leurs émotions. En tant qu'enfant, vous avez vous-même été exposé à de grandes variations d'humeur. Vous aviez donc un modèle perturbé, au moment même où vous étiez en plein développement de votre propre personnalité.

Heureusement, plusieurs enfants dont un parent a une personnalité difficile ont en eux des ressources extraordinaires qui les ont aidés à passer au travers de cette situation complexe, à se développer normalement et à aller chercher refuge auprès d'adultes plus stables dans leur entourage. C'est ce qu'on appelle la résilience, c'est-à-dire la capacité de s'adapter à un stress intense.

Statistiquement, les chances que vous soyez vous-même impulsif, intense et instable sont plus élevées si vos parents le sont. Il n'en reste pas moins que la majorité des enfants qui ont grandi dans ce type de climat chaotique auront une personnalité équilibrée une fois adulte. Bien sûr, certaines blessures resteront et risquent d'être ravivées lorsque votre parent est en crise ou lorsque vous-même êtes exposé à de grands stress. C'est pourquoi, dans tous les cas, il est conseillé d'aller chercher de l'aide

▶

Ils ont besoin de modèles adultes qui aient des réactions prévisibles. Ils ont aussi besoin que vous veilliez à ce que leurs droits soient respectés, même si cela veut dire que des gestes extrêmes doivent être posés, comme de signaler leur situation à la direction de la protection de la jeunesse. Malheureusement, c'est parfois le seul levier d'intervention possible.

Si, actuellement, vous assumez seul ou en grande partie l'éducation et le développement de vos petits-enfants, vous pouvez aller chercher de l'aide auprès d'organismes spécialisés. Consultez le CLSC ou les groupes d'entraide de votre région. Rappelez-vous toutefois que plus vous prendrez les responsabilités de votre enfant sur vos épaules, moins il les prendra lui-même. Si vous le jugez inapte à s'occuper d'un enfant, il faut alors entamer des démarches légales qui régulariseront la situation et donneront à vous ou à quelqu'un d'autre l'autorité légale pour assumer temporairement ou définitivement le rôle de tuteur.

professionnelle, d'une part pour vous permettre de parler des événements qui ont été traumatisants pour vous dans l'enfance, d'autre part pour vous aider, maintenant que vous êtes adulte, à mieux vivre votre relation avec votre parent difficile.

La zone de confort

Les témoignages de plusieurs personnes qui se trouvent dans la même situation que vous montrent que leur plus grand défi est de trouver une distance confortable dans la relation qu'ils entretiennent avec leur parent. Jeanne, jeune femme de 35 ans, a raconté à quel point il est difficile pour elle de trouver une zone de confort dans sa relation avec sa mère, qui présente toutes les caractéristiques d'une personnalité limite.

AGATHE

« Actuellement, j'ai complètement coupé les ponts avec ma mère, Agathe. On dirait qu'avec elle, il n'y a pas de juste milieu. Si j'ai le malheur de l'appeler ou de la voir pour son anniversaire, c'est comme si je lui ouvrais toute grande ma porte et elle se met alors à m'appeler sans cesse, à me faire toutes sortes de demandes qui me mettent mal à l'aise, et à me harceler. Je redeviens alors comme la petite fille sans défense que j'étais face à elle et je ne suis pas capable de mettre mes limites. Je suis rapidement étouffée et angoissée, je me sens tellement responsable d'elle… Il n'y a personne d'autre que moi pour s'en occuper. Ça fait longtemps que mon père et mes frères l'ont abandonnée. Je n'ai pas le choix, moi aussi, je suis obligée de la tenir loin de moi. Et dans son cas, loin, c'est ne pas la voir… C'est dur parce que, lorsqu'elle va bien, elle est une mère extraordinaire. Je me prive donc de ses bons côtés parce que, lorsqu'elle se met à mal aller, c'est l'enfer pour moi… »

Jeanne, sa fille

Cette situation est fréquente. Pour se protéger, certains enfants n'ont d'autre choix que de prendre leurs distances dans la relation, ce qui est douloureux. Ce besoin de se distancier est souvent décrit comme une question de survie : « À un moment donné, c'était elle ou moi! » En grandissant, il vous faut trouver la juste distance entre votre parent et vous, la distance qui vous permettra de profiter de ses bons côtés tout en vous protégeant de ses excès. C'est ce qu'on appelle le niveau optimal de distanciation : assez loin pour se préserver et suffisamment proche pour profiter des côtés sains de votre parent. Cette distance peut varier dans le temps selon l'état de votre parent, les efforts qu'il met pour s'en sortir ou votre propre situation. Cette distanciation peut être source de grande culpabilité si l'enfant, même devenu adulte, ne la considère pas comme un mécanisme de défense sain.

La honte

De nombreux enfants dont les parents ont des problèmes de comportement, que ces derniers soient dus à un problème d'alcool, de drogue ou de personnalité, éprouvent un fort sentiment de honte. Il leur est difficile d'en parler et d'avouer à leurs amis que leur parent est « différent ». Ils peuvent avoir tendance à cacher la vérité ou bien à la camoufler. C'est un peu comme si les difficultés de leur parent déteignaient sur eux et leur faisaient ombrage. Ce sentiment de honte est très destructeur. D'abord, il isole celui qui le vit. Il mine aussi la perception de soi, voire l'estime de soi. En fait, au sentiment de honte est souvent associée la culpabilité d'avoir honte de sa mère, de son père ou parfois des deux! La honte est associée au regard d'autrui et au sentiment d'être différent des autres. Si vous êtes très perturbé par ces sentiments, il vous faut en parler avec quelqu'un en qui vous ayez confiance. Les secrets sont lourds à porter. Il est important que vous ayez du soutien par rapport aux difficultés que vous avez vécues et par rapport à ce que vous avez injustement subi.

Le renversement des rôles : la « parentification »

Généralement, lorsqu'un parent éprouve des difficultés, les rôles ont tendance à s'inverser. Certains enfants vont alors adopter un rôle parental envers leur parent difficile, avec toutes les responsabilités que ce rôle comporte. C'est ce que nous appelons la « parentification », ou devenir le parent de son parent! Ce rôle pèse très lourd sur les épaules d'un enfant, même devenu adulte, qui non seulement assume des responsabilités qui ne sont pas les siennes mais qui, de plus, est privé d'un père ou d'une mère sur lequel il puisse compter. Tout un cheminement personnel est nécessaire pour se dégager de ce rôle et remettre les choses en perspective. Un long processus de deuil du parent sain se fait avec les années et le soutien des autres membres de votre famille. Vous n'avez pas le choix d'accepter avec beaucoup de courage votre parent tel qu'il est, avec ses défauts et ses qualités. Vous ne l'avez pas choisi. Encore une fois, la clé de votre épanouissement passe par votre capacité à faire respecter vos limites. Pour cela, vous pouvez être aidé par vos frères et sœurs s'il y a lieu. Vous n'avez probablement pas tous réagi de la même façon. Certains ont pu prendre leurs distances sans que cela ne semble les faire souffrir, d'autres auront eu plus de difficultés à se protéger. Selon votre propre personnalité, il vous faut réfléchir au type de relation que vous voulez avec votre parent. Les limites ne viendront pas d'eux, c'est à vous de décider. Vous êtes maintenant un adulte qui a du pouvoir, un adulte qui peut choisir de ne plus subir.

Vous êtes la seule personne responsable de votre bonheur, c'est à vous de prendre les moyens de vous faire respecter, de vous faire aider, de vous ressourcer et de vous nourrir de relations saines, stimulantes et réconfortantes.

La relation avec l'autre parent

Vous avez peut-être aussi un sentiment de responsabilité face à votre autre parent qui, lui aussi, a dû en voir de toutes les couleurs. Que ce soit avec lui ou avec les autres, choisissez les relations les plus nourrissantes pour vous en mettant de côté celles qui vous empoisonnent la vie. Plus que bien d'autres, vous avez besoin de stabilité, d'avoir le sentiment d'être aimé et respecté. Si votre autre parent vous soutient, cela peut vous aider de partager avec lui ce que vous vivez par rapport à votre proche difficile.

C'est votre sœur ou votre frère

Les enjeux des frères et sœurs d'un proche difficile ressemblent à ceux des autres proches. Il est toutefois généralement plus facile de faire respecter ses limites à son frère ou à sa sœur qu'à son parent ou à son enfant, car la distance émotive est souvent plus grande.

En fait, plusieurs émotions sont ressenties. D'une part, il y a toutes les émotions reliées à votre frère ou à votre sœur : honte de certains de leurs comportements, impuissance à leur venir en aide, colère reliée à la grande place qu'ils prennent dans la famille, parfois à votre détriment, colère reliée à la façon dont ils se comportent avec vos parents ou encore culpabilité, à cause de vos succès. Ces émotions sont normales. Depuis longtemps, vous avez probablement dû faire preuve de maturité pour compenser tout ce que votre frère ou votre sœur a fait vivre à vos parents.

D'autre part, il y a les émotions que vous ressentez face à vos parents. Un de vos grands soucis est sans doute de les protéger des nombreuses péripéties que connaît votre frère ou votre sœur. Il est fréquent que les membres d'une même famille aient des opinions divergentes et vous n'êtes probablement pas toujours d'accord avec la façon dont les choses se passent entre votre frère ou votre soeur et vos parents. Si vous voyez vos parents malheureux et démunis face à votre frère ou votre soeur, vous devez ressentir beaucoup de colère. Vous devez également éprouver de l'impuissance face à la situation si vos parents n'arrivent pas à faire respecter leurs limites, surtout s'ils sont en moins bonne santé ou plus vulnérables en vieillissant.

Quelques stratégies à privilégier :

- Tentez de vous allier à d'autres membres de la famille pour mieux soutenir vos parents : vos autres frères et sœurs s'il y a lieu, vos oncles et tantes, votre conjoint. Plus vous serez nombreux à partager les difficultés, moins elles seront lourdes pour vous et vos parents.
- Expliquez à vos parents ce que vous savez de la problématique des personnalités difficiles. S'informer, pour vous comme pour eux, favorise une meilleure compréhension de ce qui se joue dans votre dynamique familiale.
- Exposez clairement et calmement à vos parents votre position face aux décisions qu'ils prennent et avec lesquelles vous n'êtes pas d'accord.
- De la même façon que vous le feriez avec votre sœur ou votre frère, appliquez avec vos parents les stratégies de validation et de gestion des émotions que nous avons vues dans les chapitres précédents. Ils ont besoin de se sentir compris et approuvés. S'ils se sentent pris en otage par votre frère ou votre sœur, ils doivent eux-mêmes être

émotionnellement dépassés. En étant à l'écoute de leurs craintes, de leurs inquiétudes, vous serez plus en mesure de les aider et de comprendre ce qui les dérange le plus.
- Vous pouvez offrir à vos parents de les accompagner dans un groupe d'entraide où ils pourront échanger conseils et soutien avec d'autres personnes qui vivent les mêmes expériences qu'eux. Il leur sera très bénéfique de savoir qu'ils ne sont pas les seuls dans leur situation.

Une meilleure compréhension du fonctionnement de votre système familial vous aidera à mieux comprendre ce qui se joue entre les membres de votre famille.

La relation avec votre frère ou votre sœur est sûrement orageuse. En faisant respecter vos limites et en essayant de mieux comprendre ce qu'ils vivent, vous contribuerez grandement à améliorer la qualité de votre relation avec eux. Le système familial dans lequel vous avez grandi est probablement perturbé par leurs personnalités difficiles, d'autant qu'il est possible que d'autres membres de votre milieu familial aient des traits de personnalité problématiques. Une meilleure connaissance de vous-même et du fonctionnement de votre famille vous aidera à traverser les périodes de crise de votre entourage.

C'est votre conjoint ou votre conjointe

Si c'est votre conjoint qui a une personnalité difficile, vous vivez dans une dynamique différente de celle des autres personnes dont un proche est difficile. Contrairement aux parents, aux enfants, aux frères et aux sœurs, vous avez choisi votre partenaire, même s'il y a de cela bien longtemps. Évidemment, dans certaines situations, ce choix peut avoir été fait sous plusieurs formes de contraintes telles que des croyances religieuses ou des obligations familiales. Toutefois, aujourd'hui, vous êtes probablement confrontés quotidiennement à ce choix, et vous devez décider de poursuivre ou non votre relation. Vous savez sans doute très bien ce que le mot *ambivalence* veut dire ! Si votre partenaire n'avait que des défauts, il y a probablement longtemps que vous l'auriez quitté. Mais la situation n'est jamais aussi simple. Le fait d'avoir eu des enfants ensemble, la confiance que vous avez en vous-même, votre propre personnalité et vos peurs sont des éléments qui entrent en jeu dans votre relation avec votre conjoint.

Comme nous l'avons vu, vous devez avant tout faire respecter vos limites. Vous devez décider ce qui est acceptable pour vous et ce qui ne l'est pas dans la relation avec votre conjoint. Sachez que la violence n'est pas seulement physique, elle peut être verbale et aussi psychologique. Cependant, elle n'est en aucun cas acceptable. Aucune justification de votre proche ne peut excuser un tel comportement, surtout pas des traits de personnalité problématiques et encore moins des excuses entre les crises. Rappelez-vous le témoignage d'Élise qui subissait la violence de Jocelyn, tant et si bien qu'elle s'était même mise à avoir peur de le quitter. Si c'est votre cas, fiez-vous à votre jugement... Votre peur est justifiée et vous devez impérativement aller chercher de l'aide dans votre entourage ou auprès d'organismes spécialisés. Votre proche est impulsif, colérique et violent et il réagira fortement si vous vous éloignez. Assurez-vous d'être alors en sécurité.

Votre conjoint n'est peut-être pas violent. Parfois, en revanche, il peut retourner agressivité et colère contre lui-même et privilégier alors des moyens autodestructeurs tels que comportements suicidaires ou automutilation. Référez-vous au chapitre consacré à cette problématique et, surtout, ne laissez pas la situation se détériorer. Sachez que, parfois, cette colère retournée contre soi peut aussi se traduire par différents malaises physiques.

L'amour que vous portez à votre conjoint a peu à voir avec la nature de la relation que vous entretenez avec lui. Vos histoires personnelles, vos personnalités et vos fragilités respectives influencent les liens qui vous unissent. Si vous tenez à cette relation, si vous voulez aider votre conjoint et le soutenir dans ses difficultés, la meilleure stratégie est toujours et encore de VOUS faire respecter. Vous lui annoncez ainsi clairement votre valeur et le genre de climat dans lequel vous voulez vivre. Vous êtes responsable de votre vie et de votre bonheur.

Misez sur les qualités de votre partenaire, sur ce qui vous plaît chez lui, sur son énergie et sa capacité à s'en sortir.

Rappelez-vous que vous aiderez beaucoup votre partenaire si vous êtes constant, stable et prévisible dans vos réactions. Il ou elle a besoin d'un cadre sécurisant et connu pour évoluer le mieux possible. Si vous arrivez à trouver les stratégies efficaces pour désamorcer les crises, en validant les émotions, en évitant certaines discussions, en vous retirant lorsque nécessaire, vous pourrez continuer à vivre une vie de couple épanouissante au cours de laquelle vous profiterez de toutes les belles qualités de votre amoureuse ou amoureux.

La violence, psychologique, physique ou verbale n'est en aucun cas acceptable. Les traits de personnalité problématiques de votre proche ne peuvent excuser un tel comportement.

La situation peut se compliquer si vous avez eu des enfants. Dans ce cas, les choix sont plus difficiles car des enfants dépendants et vulnérables sont concernés. Sachez qu'en tant que parent, père ou mère, vous avez la responsabilité de veiller à ce que vos enfants soient en sécurité et qu'ils vivent dans un climat qui favorise leur développement. Si votre conjoint, pour quelque raison que ce soit, n'est pas apte à s'occuper d'eux, qu'il menace leur sécurité en posant des gestes dangereux ou qu'il les expose à des comportements perturbateurs comme l'automutilation ou l'agressivité, c'est à vous que revient le devoir de protéger vos enfants. Vous devenez alors le parent qui assure une stabilité sur laquelle vos enfants peuvent compter. Parfois, des mesures extrêmes doivent être prises pour protéger vos enfants, comme de demander la garde légale ou faire un signalement à la protection de la jeunesse. C'est alors une situation éprouvante pour vous, pour votre conjoint et, surtout, pour vos enfants. Vous aurez tous besoin de soutien et d'entraide pour traverser cette crise qui peut parfois mener à des jours meilleurs.

ANNEXES

Contrat-type entre deux personnes

Ce contrat peut être utilisé pour rendre formelle une entente à laquelle vous parvenez avec votre proche, peu importe le lien qui vous unit à lui. De par sa nature, un contrat sous-entend que les deux parties signent l'entente de leur plein gré. Si votre proche ne respecte pas les conditions comme il s'est engagé à le faire, il est de votre responsabilité d'appliquer les mesures nécessaires. C'est même en cela que consiste votre partie du contrat, et vous devez la respecter, sans quoi votre proche pourrait, à juste titre, vous reprocher de ne pas tenir parole.

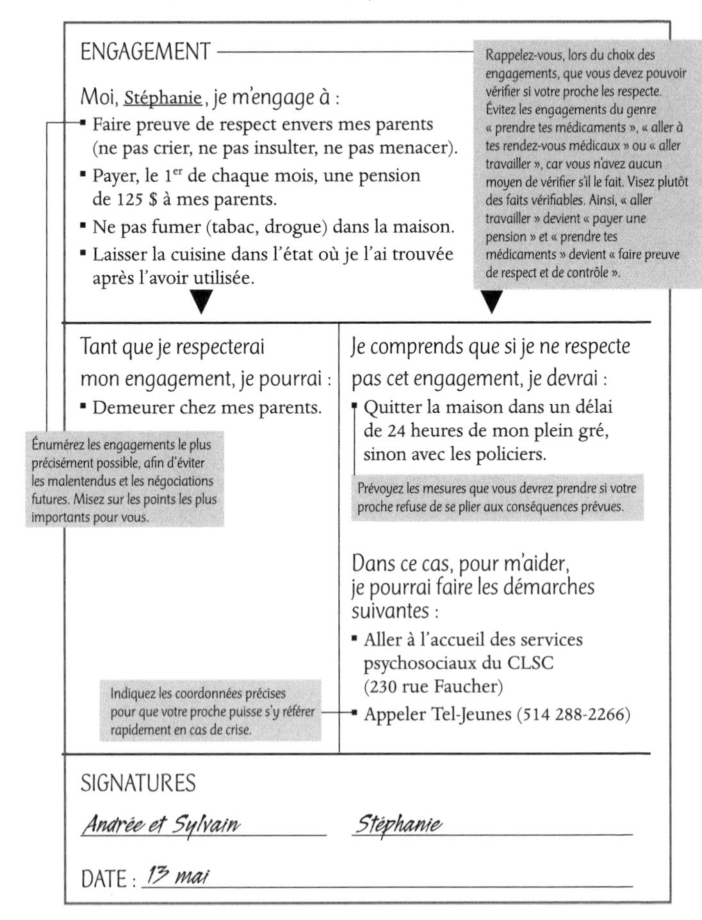

ENGAGEMENT

Moi, Stéphanie, je m'engage à :

- Faire preuve de respect envers mes parents (ne pas crier, ne pas insulter, ne pas menacer).
- Payer, le 1er de chaque mois, une pension de 125 $ à mes parents.
- Ne pas fumer (tabac, drogue) dans la maison.
- Laisser la cuisine dans l'état où je l'ai trouvée après l'avoir utilisée.

Rappelez-vous, lors du choix des engagements, que vous devez pouvoir vérifier si votre proche les respecte. Évitez les engagements du genre « prendre tes médicaments », « aller à tes rendez-vous médicaux » ou « aller travailler », car vous n'avez aucun moyen de vérifier s'il le fait. Visez plutôt des faits vérifiables. Ainsi, « aller travailler » devient « payer une pension » et « prendre tes médicaments » devient « faire preuve de respect et de contrôle ».

Tant que je respecterai mon engagement, je pourrai :

- Demeurer chez mes parents.

Énumérez les engagements le plus précisément possible, afin d'éviter les malentendus et les négociations futures. Misez sur les points les plus importants pour vous.

Je comprends que si je ne respecte pas cet engagement, je devrai :

- Quitter la maison dans un délai de 24 heures de mon plein gré, sinon avec les policiers.

Prévoyez les mesures que vous devrez prendre si votre proche refuse de se plier aux conséquences prévues.

Dans ce cas, pour m'aider, je pourrai faire les démarches suivantes :

- Aller à l'accueil des services psychosociaux du CLSC (230 rue Faucher)
- Appeler Tel-Jeunes (514 288-2266)

Indiquez les coordonnées précises pour que votre proche puisse s'y référer rapidement en cas de crise.

SIGNATURES

Andrée et Sylvain — Stéphanie

DATE : 13 mai

Contrat-type entre deux personnes

ENGAGEMENT

Moi, ______________________________ , je m'engage à

____

____

____

____

▼ ▼

Tant que je respecterai mon engagement, je pourrai	Je comprends que si je ne respecte pas cet engagement, je devrai
______________________	______________________
______________________	______________________
______________________	______________________
______________________	______________________
______________________	______________________
	Dans ce cas, pour m'aider, je pourrai faire les démarches suivantes :
	______________________
	______________________
	______________________
	______________________
	______________________

SIGNATURES

______________________ ______________________

DATE : ______________________________

Fiche de démarche de résolution de problème

Cette fiche peut être utilisée par votre proche et peut l'aider à voir clair dans sa situation. Elle permet de cibler le problème le plus important dans sa vie actuellement et de réfléchir à des solutions concrètes.

PROBLÈME Identifiez LE problème qui vous cause le plus de souci aujourd'hui.	SOLUTIONS Identifiez les solutions possibles.
(ex. : ma perte d'emploi, mes dettes, l'éviction de mon logement, mes crises de colère, etc.)	Option 1
	Option 2
	Option 3
	Option 4 NE RIEN FAIRE

LE POUR ET LE CONTRE Pour chacune des options, énumérez les avantages et les inconvénients.
Avantages
Inconvénients
Avantages
Inconvénients
Avantages
Inconvénients
Avantages
Inconvénients

Aujourd'hui, laquelle de ces quatre options choisissez-vous ?

☐ Option 1 ☐ Option 3
☐ Option 2 ☐ Option 4

Quel sera votre plus grand défi en choisissant cette option ?

____
____
____
____
____
____
____
____

Démarches précises à faire :

☐ ____
☐ ____
☐ ____

Qui peut vous aider dans votre démarche et qu'allez-vous précisément demander ?

☐ ____
☐ ____
☐ ____

Les ressources disponibles

Les différents types de traitements existant pour votre proche

Plusieurs types de traitements sont disponibles mais, quelle que soit la situation, votre proche doit avant tout être motivé à entreprendre une démarche thérapeutique. C'est un processus qui demande beaucoup de courage. Pour y arriver, votre proche aura besoin d'encouragements et d'un soutien constant. Accepter de se remettre en question et de demander de l'aide est déjà un pas dans la bonne direction. Une fois que votre proche a pris la décision de se faire aider, il faut aussi que les services d'aide soient appropriés à sa situation et, évidemment, qu'ils soient disponibles. Ce n'est pas toujours le cas car, d'une région à l'autre, l'accessibilité aux services spécialisés est très variable.

Dans un premier temps, la consultation avec le médecin de famille est un bon départ. Sinon, les CLSC de chacune des régions du Québec représentent également une porte d'entrée des services en santé mentale. Les urgences physiques et psychiatriques des hôpitaux en sont une autre.

Voici un bref aperçu des traitements possibles pour la clientèle présentant un problème relié à la personnalité.

Les différents types de traitements des troubles de la personnalité

La psychothérapie individuelle, en groupe, en couple et familiale

Il existe de nombreuses formes de psychothérapie, proposées par plusieurs types de professionnels (médecins, psychologues, travailleurs sociaux, infirmières) et ce à différents endroits (hôpitaux, CLSC, bureau privé).

Le plus important est d'aller chercher l'aide nécessaire aux besoins de votre proche. Parfois, une rencontre hebdomadaire avec une travailleuse sociale travaillant dans un CLSC peut être suffisante, alors que, pendant une période de crise, un suivi quotidien dans un hôpital sera peut-être nécessaire. Il est recommandé à votre proche de discuter de ses besoins avec son médecin de famille ou de s'adresser au CLSC de sa région pour connaître les différentes possibilités.

Le but d'une psychothérapie n'est pas nécessairement de modifier la personnalité et de comprendre les causes du trouble de la personnalité, mais plutôt d'aider la personne à assurer sa propre sécurité, à régulariser ses émotions, à diminuer son impulsivité, à mieux se connaître et à augmenter ses habiletés sociales.

La thérapie peut être individuelle ou se dérouler en groupe de plusieurs personnes ayant des problèmes similaires à ceux de votre proche. La thérapie de couple ou familiale, c'est-à-dire qui inclut plusieurs membres de la famille, peut parfois être la forme de psychothérapie la plus appropriée.

La réinsertion au travail et à la vie active

Les recherches démontrent les bienfaits d'une vie active, équilibrée et valorisante. Votre proche doit avoir une routine, un cadre qui lui permette de s'occuper, de se sentir utile et d'être en relation avec les autres. Les arrêts de travail prolongés nuisent à l'estime de soi et tendent à faire perdre ses capacités à votre proche. Ainsi, la reprise d'activités structurées fait partie du traitement. Que ce soit le travail, les études, le bénévolat ou la participation à un programme de réadaptation, votre proche doit occuper son temps au maximum. Pour rencontrer des gens et retrouver le goût du plaisir, il est également souhaitable que votre proche s'engage dans une ou plusieurs activités de loisir, de préférence en groupe et à l'extérieur de la maison. Les activités sportives peuvent l'aider à canaliser son énergie tandis que les activités de type yoga, tai-chi, méditation peuvent lui apprendre à bien respirer et l'aider à garder le contrôle de ses émotions. De même, toutes les activités créatrices qui touchent aux arts, à la musique, à l'écriture sont encouragées.

Les groupes d'entraide et de soutien

La participation à des groupes d'entraide est une excellente façon de briser l'isolement et de discuter d'un problème commun. Le sentiment d'appartenance et le soutien qui y sont rattachés sont bénéfiques pour votre proche. Selon les problèmes, les groupes comme les Alcooliques Anonymes, Dépendants Anonymes, Narcotiques Anonymes sont à privilégier pour leur encadrement, leur chaleur humaine et leur accessibilité.

La médication

Une médication peut s'avérer utile pour diminuer les symptômes les plus dérangeants pendant une période de crise. Toutefois, cette médication ne traite pas la personnalité de votre proche et son pouvoir est limité. Une médication bien ajustée et prise régulièrement peut améliorer le sommeil, diminuer l'impulsivité, stabiliser l'humeur et diminuer la tension interne que ressent votre proche. La médication est prescrite par le médecin traitant selon les symptômes présentés et les problèmes qui leur sont associés.

L'hospitalisation

Parfois, une courte hospitalisation peut être nécessaire pour aider votre proche à reprendre le contrôle de lui-même.

Le but de l'hospitalisation est d'assurer la sécurité de votre proche et des gens qui l'entourent.

Pendant l'hospitalisation, une médication peut-être prescrite et ajustée au besoin. Pendant cette période, il est souhaitable que vous rencontriez le médecin traitant de votre proche afin de discuter de vos inquiétudes et de vos limites.

En cas d'urgence

Fiche à compléter

Numéros de téléphone

911

Info-santé

Urgence de l'hôpital

Intervenants impliqués dans le dossier

Lignes d'écoute et de conseils

Protection de la jeunesse

Qui peut m'aider et en quoi?

(ex. : Ma sœur Ginette [514-1234] peut m'héberger, mon frère peut garder les enfants.)

Les lignes téléphoniques de soutien et d'informations

Que vous ayez besoin de parler, que vous soyez en situation de crise ou que vous cherchiez une ressource d'hébergement pour votre proche, ces lignes téléphoniques sont disponibles 24 heures sur 24, dans tout le Québec. Les intervenants au bout du fil sont en mesure de vous orienter vers les services de votre région les plus appropriés à votre situation et à celle de votre proche. Elles représentent une source précieuse de soutien et d'informations.

INFO-SANTE par le biais du numéro de téléphone de votre CLSC

PRÉVENTION SUICIDE 1 866 277-3553 (1 866 APPELLE)

SUICIDE ACTION MONTRÉAL (514) 723-4000

S.O.S. VIOLENCE CONJUGALE 1 800 363-9010

DROGUE : AIDE ET RÉFÉRENCE 1 800 265-2626

JEU : AIDE ET RÉFÉRENCE 1 800 461-0140

GAI ÉCOUTE 1 888 505-1010

JEUNESSE J'ÉCOUTE 1 800 668-6868

TEL-AIDE MONTRÉAL (514) 935-1101

LA LIGNE PARENTS 1 800 361-5085

TEL-JEUNES 1 800 263-2266

CAVAC (Centre d'aide aux victimes d'actes criminels) **1 866 532-2822**

REVIVRE (Association québécoise de soutien aux personnes souffrant de troubles anxieux, dépressifs ou bipolaires) **1 866 738-4873**

FFAPAMM (Fédération des familles et amis de la personne atteinte de maladie mentale – organisme qui regroupe les associations d'aide aux familles dans tout le Québec) **1 800 323-0474**

Sites sur internet

www.psychomedia.qc.ca
Site destiné à informer sur la psychologie humaine

www.personnalitelimite.org
Site destiné aux personnes atteintes d'un trouble de personnalité limite ainsi qu'à leur famille

www.agressionsexuelle.com
Site destiné à informer et à aider les personnes victimes ou coupables d'agression sexuelle

Suggestions de lecture

ASHNER, Laurie, et Mitch MEYERSON. (2001). *L'insatisfaction chronique.* Sciences et culture.

BACH, George Robert, et Herb GOLDBERG. (2002). *L'agressivité créatrice.* Le Jour.

BERNE, Éric. (1976). *Des jeux et des hommes.* Stock.

BOUTIN, Claude, et Robert LADOUCEUR. (2006). *Y a-t-il un joueur dans votre entourage?* Éditions de l'Homme.

BURNS, David. (2005). *Être bien dans sa peau.* Héritage.

CRÈVECOEUR, Jean-Jacques. (2004). *Relations et jeux de pouvoir.* Jouvence.

D'ANSEMBOURG, Thomas. (2001). *Cessez d'être gentil, soyez vrai.* Odile Jacob.

DALAÏ LAMA. (1999). *L'art du bonheur.* Robert Laffont.

FORTIN, Bruno. (1997). *Prendre soin de sa santé mentale.* Éditions du Méridien.

FORWARD, Susan. (2002). *Parents toxiques.* Marabout.

GRANIER, Emmanuel. (2006). *Idées noires et tentatives de suicide.* Odile Jacob.

HALPERN, Howard Marvin. (1983). *Adieu : Apprenez à rompre sans difficulté.* Le Jour.

LAWSON, Christine Ann. (2002) *Understanding the Borderline Mother.* Jason Aronson.

LELORD, François, et Christophe ANDRÉ. (2000). *Comment gérer les personnalités difficiles.* Odile Jacob.

MAZIADE, Michel. (1988). *Guide pour parents inquiets.* La Liberté.

McGRAW, Phillip. (2002). *Sauvez votre couple.* Marabout.

McGRAW, Phillip. (2004). *Stratégie de vie.* Ada.

McGRAW, Phillip. (2004). *Et moi alors?* Marabout.

MONBOURQUETTE, Jean, Myrna LADOUCEUR et Jacqueline DESJARDINS-PROULX. (1998). *Je suis aimable, je suis capable.* Novalis.

MONBOURQUETTE, Jean. (1994). *Grandir : aimer, perdre et grandir.* Novalis.

NAZARE-AGA, Isabelle. (1997). *Les manipulateurs sont parmi nous.* Éditions de l'Homme.

PEACOCK, Fletcher. (1999). *Arrosez les fleurs, pas les mauvaises herbes!* Éditions de l'Homme.

YOUNG, Jeffrey E., et Janet S. KLOSKO. (1995). *Je réinvente ma vie.* Éditions de l'Homme.

Quelques titres de la collection

Vivre avec
l'infertilité
Susan Bermingham

Actuellement dans le monde, un couple sur six, soit 15 % de la population, est victime d'un problème de fécondité.

Vivre avec
un proche qui vieillit
Dr Arthur Amyot
René Des Groseillers

Pour mieux comprendre la réalité du vieillissement d'un proche.

Vivre avec
les enfants de l'autre
Francine Fortier

Des réponses pour faire face à un des plus grands défis des familles recomposées.

Vivre avec
une personne atteinte de diabète
Dr Jean-Marie Ékoé

Tout savoir pour accompagner un proche atteint du diabète.

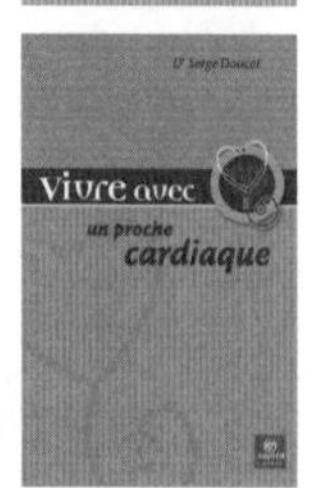

Vivre avec
un proche cardiaque
Dr Serge Doucet

Comment soutenir les personnes qui nous sont chères face à la maladie.

Prix de l'AMPQ 2009

La collection vivre avec a reçu le **Prix d'excellence médiatique 2009** de l'Association des médecins psychiatres du Québec. Ce prix vise à souligner l'excellence de l'information transmise au grand public en ce qui a trait à la santé mentale et à la maladie mentale.

Vivre avec
un proche gravement malade
Dr Yves Quennville
Dre Natasha Dufour

Le diagnostic d'une maladie grave tombe comme la foudre dans la vie d'une personne et de ses proches. Toute l'attention est centrée sur le malade. Mais qu'en est-il de son entourage?

Vivre avec
une personne dépressive
Dr Brian Bexton

Côtoyer une personne dépressive représente un défi de tous les jours. Pour l'aider à remonter la pente, bien sûr, mais aussi pour ne pas se laisser contaminer par le désespoir.

Vivre avec
un enfant qui dérange
Dr Gilles Julien

Cet ouvrage est un outil au service de l'espérance et de l'amour que méritent tout enfant et tout parent.

Vivre avec
l'homosexualité de son enfant
Sylvie Giasson

Un livre sensible qui s'adresse aux parents et aux proches qui font face à cette réalité.

Vivre avec
un adolescent mentalement souffrant
Dr Nagy Charles Bedwani

Ce livre permet aux parents, éducateurs et proches des adolescents de saisir les nuances et les subtilités de ces maladies, ainsi que leur impact sur le vécu des jeunes qu'elles affligent.

À vous la parole

Vous avez aimé ce livre?

Vous avez des commentaires
ou des suggestions à nous faire?

Écrivez-nous à
edition@bayardcanada.com